国家陆地生态系统定位观测研究站研究成果

中国陆地生态系统质量定位观测研究报告 2020

湿 地

国家林业和草原局科学技术司 ◎ 编著

中国林业出版社
China Forestry Publishing House

图书在版编目（CIP）数据

中国陆地生态系统质量定位观测研究报告. 2020. 湿地／国家林业和草原局科学技术司编著. —北京：中国林业出版社，2021. 11

（国家陆地生态系统定位观测研究站研究成果）

ISBN 978-7-5219-1050-6

Ⅰ．①中…　Ⅱ．①国…　Ⅲ．①陆地–生态系–观测–研究报告–中国–2020 ②沼泽化地–生态系–观测–研究报告–中国–2020　Ⅳ．①Q147

中国版本图书馆 CIP 数据核字（2021）第 222481 号

审图号：GS（2021）6763 号

责任编辑：刘香瑞

出版	中国林业出版社（100009　北京西城区刘海胡同 7 号）
	网址　http：//www.forestry.gov.cn/lycb.html　电话　010-83143542
发行	中国林业出版社
印刷	北京博海升彩色印刷有限公司
版次	2021 年 11 月第 1 版
印次	2021 年 11 月第 1 次印刷
开本	889mm×1194mm　1/16
印张	6
字数	95 千字
定价	65.00 元

编委会

主　任　彭有冬

副主任　郝育军

编　委　厉建祝　刘韶辉　刘世荣　储富祥　费本华
　　　　　　宋红竹

────── 编写组 ──────

主　编　崔丽娟

编　者　张曼胤　刘魏魏　郭子良　赵欣胜　李　伟

编写说明

习近平总书记强调："绿水青山既是自然财富、生态财富，又是社会财富、经济财富。"那么，我国"绿水青山"的主体——陆地生态系统的状况怎么样、质量如何？需要我们用科学的方法，获取翔实的数据，进行认真地分析，才能对"绿水青山"这个自然财富、生态财富，作出准确、量化地评价。这就凸显出陆地生态系统野外观测站建设的重要性、必要性，凸显出生态站建设、管理、能力提升在我国生态文明建设中的基础地位、支撑作用。

党的十八大以来，党中央、国务院高度重视生态文明建设，把生态文明建设纳入"五位一体"总体布局，并将建设生态文明写入党章，作出了一系列重大决策部署。中共中央、国务院《关于加快推进生态文明建设的意见》明确要求，加强统计监测，加快推进对森林、湿地、沙化土地等的统计监测核算能力建设，健全覆盖所有资源环境要素的监测网络体系。

长期以来，我国各级林草主管部门始终高度重视陆地生态系统监测能力建设。20 世纪 50 年代末，我国陆地生态系统野外监测站建设开始起步；1998 年，国家林业局正式组建国家陆地生态系统定位观测研究站（以下简称"生态站"）；党的十八大以后，国家林业局（现为国家林业和草原局）持续加快生态站建设步伐，不断优化完善布局，目前已形成拥有 202 个（截至 2019 年年底）站点的大型定位观测研究网络，涵盖森林、草原、湿地、荒漠、城市、竹林六大类型，基本覆盖陆地生态系统主要类型和我国重点生态区域，成为我国林草科技创新体系的重要组成部分和基础支撑平台，在生态环境保护、生态服务功能评估、应对气候变化、国际履约等国家战略需求方面提供了重要科技支撑。

经过多年建设与发展，我国生态站布局日趋完善，监测能力持续提升，积累了大量长期定位观测数据。为准确评价我国陆地生态系统质量，推动林草事业高质量发展和现代化建设，我们以生态站长期定位观测数据为基础，结合有关数据，首次组织编写了国家陆地生态系统定位观测研究站系列研究报告。

本系列研究报告对我国陆地生态系统质量进行了综合分析研究，系统阐述了我国陆地生态系统定位观测研究概况、生态系统状况变化以及政策建议等。研究报告共分总论、森林、草原—东北地区、湿地、荒漠、城市生态空间、竹林—闽北地区 7 个分报告。

由于编纂时间仓促，不足之处，敬请各位专家、同行及广大读者批评指正。

丛书编委会
2021 年 8 月

序 一

陆地生态系统是地质环境与人类社会经济相互作用最直接、最显著的地球表层部分，通过其生境、物种、生物学状态、性质和生态过程所产生的物质及其所维持的良好生活环境为人类提供服务。我国幅员辽阔，陆地生态系统类型丰富，在保护生态安全，为人类提供生态系统服务方面发挥着不可替代的作用。但是，由于气候变化、土地利用变化、城市化等重要环境变化影响和改变着各类生态系统的结构与功能，进而影响到优良生态系统服务的供给和优质生态产品的价值实现。

1957 年，我赴苏联科学院森林研究所学习植物学理论与研究方法，当时把学习重点放在森林生态长期定位研究方法上，这对认识森林结构和功能的变化是一种必要的手段。森林是生物产量（木材和非木材产品）的生产者，只有阐明了它们的物质循环、能量转化过程及系统运行机制，以及森林生物之间、森林生物与环境之间的相互作用，才能使人们认识它们的重要性，使森林更好地造福人类的生存和生活环境。当时，这种定位站叫"森林生物地理群落定位研究站"，现在全世界都叫"森林生态系统定位研究站"。我在研究进修后就认定了建设定位站这一特殊措施，是十分必要的。1959 年回国后，我即根据研究需要，于 1960 年春与四川省林业科学研究所在川西米亚罗的亚高山针叶林区建立了我国林业系统第一个森林定位站，开展了多学科综合性定位研究。

在各级林草主管部门和几代林草科技工作者的共同努力下，国家林业和草原局建设的中国陆地生态系统定位观测研究站网（CTERN）已成为我国林草科技创新体系的重要组成部分和基础支撑平台，在支持生态学基础研究和国家重大生态工程建设方面发挥了重要作用，解决了一批国家急需的生态建设、环境保护、可持续发展等方面的关键生态学问题，推动了我国生态与资源环境科学的融合发展。

国家林业和草原局科学技术司组织了一批年富力强的中青年专家，基于CTERN的长期定位观测数据，结合国家有关部门的专项调查和统计数据以及国内外的遥感和地理空间信息数据，开展了森林、湿地、荒漠、草原、城市、竹林六大类生态系统质量的综合评估研究，完成了《中国陆地生态系统质量定位观测研究报告（2020）》。

该系列研究报告介绍了生态站的基本情况和未来发展方向，初步总结了生态站在陆地生态系统方面的研究成果，阐述了中国陆地生态系统质量状态及生态服务功能变化，为准确掌握我国陆地生态状况和环境变化提供了重要数据支撑。由于我一直致力于生态站长期定位观测研究工作，非常高兴能看到生态站网首次出版系列研究报告，虽然该系列研究报告还有不足之处，我相信，通过广大林草科研人员持续不断地共同努力，生态站长期定位观测研究在回答人与自然如何和谐共生这个重要命题中将会发挥更大的作用。

中国科学院院士

2021 年 8 月

序 二

    党的十九届五中全会通过的《中共中央关于制定国民经济和社会发展第十四个五年规划和二〇三五年远景目标的建议》提出了提升生态系统质量和稳定性的任务，对于促进人与自然和谐共生、建设美丽中国具有重大意义。建立覆盖全国和不同生态系统类型的观测研究站和生态系统观测研究网络，开展生态系统长期定位观测研究，积累长期连续的生态系统观测数据，是科学而客观评估生态系统质量变化及生态保护成效，提高生态系统稳定性的重要科技支撑手段。

    林业生态定位研究始于 20 世纪 60 年代，1978 年，林业主管部门首次组织编制了《全国森林生态站发展规划草案》，在我国林业生态工程区、荒漠化地区等典型区域陆续建立了多个生态站。1992 年，林业部组织修订《规划草案》，成立了生态站工作专家组，提出了建设涵盖全国陆地的生态站联网观测构想。2003 年，正式成立"中国森林生态系统定位研究网络"。2008 年，国家林业局发布了《国家陆地生态系统定位观测研究网络中长期发展规划(2008—2020年)》，布局建立了森林、湿地、荒漠、城市、竹林生态站网络。2019 年又布局建立了草原生态站网络。经过 60 年的发展历程，我国生态站网建设方面取得了显著成效。到目前为止，国家林业和草原局生态站网已成为我国行业部门中最具有特色、站点数量最多、覆盖陆地生态区域最广的生态站网络体系，为服务国家战略决策、提升林草科学研究水平、监测林草重大生态工程效益、培养林草科研人才提供了重要支撑。

《中国陆地生态系统质量定位观测研究报告（2020）》是首次利用国家林业和草原局生态站网观测数据发布的系列研究报告。研究报告以生态站网长期定位观测数据为基础，从森林、草原、湿地、荒漠、城市、竹林 6 个方面对我国陆地生态系统质量的若干方面进行了分析研究，阐述了中国陆地生态系统质量状态及生态服务功能变化，为准确掌握我国陆地生态系统状况和环境变化提供了重要数据支撑，同时该报告也是基于生态站长期观测数据，开展联网综合研究应用的一次重要尝试，具有十分重要的意义。

党的十八大以来，以习近平同志为核心的党中央把生态文明建设纳入"五位一体"国家发展总体布局，作为关系中华民族永续发展的根本大计，提出了一系列新理念新思想新战略，林草事业进入了林业、草原、国家公园融合发展的新阶段。在新的历史时期，推动林草事业高质量发展，不但要增"量"，更要提"质"。生态站网通过长期定位观测研究，既能回答"量"有多少，也能回答"质"是如何变化。期待国家林业和草原局能够持续建设发展生态站网，不断提升生态站网的综合观测和研究能力，持续发布系列观测研究报告，为新时期我国生态文明建设做好优质服务。

中国科学院院士　于贵瑞

2021 年 8 月

前　言

　　湿地与森林、海洋并称为全球三大生态系统，是重要的国土资源和自然资源，不仅为人们提供了重要的动植物产品和原材料，也在涵养水源、净化水质、调蓄洪水、调节气候和维持生物多样性方面发挥着重要的生态功能，在人类文明的发展中发挥着不可替代的作用。我国湿地分布广、自然湿地类型多样、生物多样性十分丰富。20世纪以来，我国湿地长期面临着不断减少和衰退的威胁。我国在1992年加入《湿地公约》后，逐步加强了对湿地的保护和管理，并实施了《全国湿地保护工程规划（2004—2030年）》。为掌握湿地生态系统结构与功能变化规律，支撑湿地生态工程建设，评估湿地生态工程效益，从2004年开始筹备建设湿地生态系统定位观测研究网络，截至2020年12月，已建立湿地生态系统定位研究站40个，遍布24个省（自治区、直辖市），初步形成了湿地定位观测研究网络。

　　本报告介绍了我国湿地生态系统定位观测研究网络布局、观测指标、建设现状及重点研究领域；分析了中国湿地分布格局，40年来我国湿地保护体系的发展历程和建设现状；构建了国家尺度的湿地健康综合评估框架和指标体系，分析了全国湿地健康综合指数变化情况，结果显示：随着我国湿地保护管理政策的出台，以及湿地保护修复工程的实施，第一次到第二次湿地资源调查期间，中国湿地健康综合指数提高了 7.2%；结合滨海湿地的定位观测数据，核算了 2017 年中国滨海湿地生态系统服务价值为 1.93 万亿元。

本报告成果依托于中国湿地生态系统定位研究网络，同时受到国家重点研发计划"滨海滩涂湿地生态恢复与功能提升技术（2017YFC0506200）"项目和"森林荒漠湿地生态质量监测技术集成与应用示范（2017YFC0503804）"专题资助。

本书编写组
2021 年 8 月

目　录

第一章 中国湿地生态系统定位观测研究概况

湿地生态系统定位观测研究站是通过在重要、典型湿地区，建立长期观测点与观测样地，对湿地生态系统的生态特征、生态功能以及人为干扰进行长期定位观测，从而揭示湿地生态系统的发生、发展、演替的机理与调控方式，为保护、恢复、重建以及合理利用湿地提供科学依据的长期定位观测站点。分布于全国重要湿地类型区的若干湿地生态站组成中国湿地生态系统定位观测研究网络。

中国湿地生态系统定位观测研究站的发展服从并服务于国家的湿地保护战略要求，根据中国湿地的特点，在充分考虑湿地地带性分布的基础上，以沼泽、湖泊、河流和滨海等自然湿地为主，兼顾人工湿地，本着在国际重要湿地、国家重要湿地、国家公园、国家级湿地自然保护区，以及国家重大工程区和重要城市群，优先布设湿地生态站的原则，进行选点建设，开展长期的定位观测与研究工作。

第一节 建设意义

湿地作为全球最为独特和重要的生态系统之一，是水、土壤和生物等要素在地表有机耦合的系统，具有特色鲜明的生态特征，其形成、发育、演替与其他生态系统存在着显著的差异。湿地在净化水质、调蓄洪水和维持生物多样性等方面具有不可替代的功能和作用，对于保障国家和区域生态安全具有重要意义。

湿地生态系统定位观测，是采用科学的、可比的方法在一定时间或空间上对特定类型湿地生态系统结构与功能的特征要素与功能要素进行野外定位观察与测度，是定量获取湿地生态系统状况及其变化信息的过程。湿地生态系统定位观测是科学研究湿地生态系统的基本方法之一，是揭示湿地生态系统的结构与功能变化规律的重要手段，在湿地研究中发挥着重要的作用。

湿地生态系统的定位观测研究需要通过标准化、规范化地建设湿地生态定位站来实现，这样才能积累长期、科学、准确和可靠的观测数据。通过建设和完善湿地生态系统观测研究网络，能够更好地为基础科学研究和解决重大问题提供科学有力的基础数据。同时也可以为科学决策和湿地保护修复实践进行指导，实现湿地全面保护和合理利用的科学决策。

一、基础观测数据支持湿地科学研究

根据长期连续的湿地生态系统定位观测，获取基础数据，深入系统地开展湿地生态系统的资源利用及环境、土壤、气候等的变化规律以及过程的观测和研究，大幅度提高中国湿地保护修复领域的科技创新能力，并将促进生态学、生物学等自然生命科学和基础学科的发展，科学回答重大湿地生态学理论问题。

二、为国家重大生态工程决策提供依据

未来我国将全面展开湿地保护修复建设，必然对科学基础理论提出更多、更高的需求。通过大量、长期的观测数据积累和定位研究工作，各站的观测数据和研究成果能够直接应用于重点生态工程以及其他地区的生态工程建设。同时，可以为研究典型区域生态建设需水定额、土地承载力等工程建设实际问题提供基础理论支撑，并建立区域生态预警系统，有效提高相关地区湿地保护修复能力。

三、提高参与全球重大研究计划的能力

由于湿地生态定位站观测仪器设备的更新和完善，观测自动化水平和精度的提高，可以提高数据获取的时间、空间密度和准确度，保证数据获取的稳定性和长期性。规范数据标准，提高数据质量，提高参与国际数据交换的能力，促进参与国际重大科研计划，提升中国湿地研究的国际地位。最终建成覆盖中国主要湿地类型，野外观测手段和设备水平达到发达国家同等水平，在研究方法和手段上与国际接轨的国家湿地生态系统观测研究网络。

第二节　布局原则

依据中国自然地理分区进行布局。中国地域辽阔，一方面从南到北跨越的地理纬度较广；同时在地势上呈现出西高东低的地貌特征，使得自然地理环境千差万别、极为复杂。中国湿地的分布，既显示出地带性规律，又有非地带性的地域差异。例如沼泽湿地主要分布在东北大小兴安岭的森林沼泽区和青海三江源的高寒沼泽区；绝大多数河流湿地分布在东部气候湿润多雨的季风区，在西北内陆气候干旱少雨区则河流分布稀少。因此，湿地生态站布局时应综合考虑湿地分布的地带性和非地带性特征，做到既要全面又要突出重点和特点。

在中国生物多样性保护优先区域优先布局。生物多样性保护优先区域拥有代表性的生态系统类型，具有区域的不可替代性，是珍稀、濒危和特有野生植物物种的天然集中分布区和野生动物的栖息繁殖区，湿地作为生物多样性最为丰富的生态系统之一，为各类生物提供了重要的庇护场所，尤其为迁徙水鸟提供了关键的取食地、停歇地和繁殖地，是开展湿地生物多样性定位观测研究的重要场所，应该优先布局建设。

在中国具有典型性和代表性的湿地类型中全覆盖布局。湿地生态站的布局建设应覆盖所有主要的自然湿地类型和重要的人工湿地类型。参照《湿地公约》的湿地分类系统和中国湿地资源的特点，选择其中的森林沼泽、草本沼泽、永久性淡水湖、永久性咸水湖、永久性河流、河口水域、三角洲湿地、潮间淤泥海滩、潮间盐水沼泽、红树林沼泽、岩石海岸、珊瑚礁湿地、人工蓄水区以及文化景观湿地等比较典型的湿地类型作为建站的区域，覆盖中国所有的主要自然湿地类型。

在国际重要湿地和国家重要湿地重点布局。中国是国际《湿地公约》的缔约国，指定国际重要湿地并开展定期监测工作是中国履行《湿地公约》的义务。开展长期定位观测是生态定位站的一项重要工作，观测结果可以直接用于对国际重要湿地的评估。因此，在国际重要湿地布局湿地生态站具有重要的意义。另外，在布局时，着重考虑在国家公园、国家级自然保护区、国家湿地公园、国家重大工程区和重要城市群中的湿地上布局和建设湿地生态站，形成能够满足国家生态建设和生态安全需求的湿地长期定位观测和科研网络。

第三节　观测指标

一、指标选取原则

（一）具有长期监测意义

湿地生态观测需要揭示生态系统长时间序列的演变规律，以便更好地了解湿地生态系统正在发生的变化及其趋势。需要筛选的指标既要对环境的变化比较敏感，以便可以指示变化了的环境，但又不能将变异性太大以致掩盖环境状况变化的那些指标包括在内。在观测指标中，一方面应避免在生态系统没有发生真正的变化，但从观测的指标中却得出了变化的结论；另一方面生态系统和生态过程已经真正发生变化时，观测指标未能反映出这种变化。有些指标虽然很重要，但在大的时间尺度上意义不大，则不宜选择；有些指标短期观测可能意义不大，但对揭示生态系统长期的动态变化十分关键，则应选入。

（二）具有可操作性

优先考虑易实施、可操作性强的观测指标。为了确保观测内容的时间延续性，长期观测指标应尽可能选择容易实现的指标，以避免因经费、人为方面的原因使观测计划中断。要保证指标长期观测能够实施，首先要具备可行的观测方法和仪器设备，长期观测的精度能满足要求；其次具有观测所需的必要保障，如场地、电力、交通等基础设施；最后要考虑指标观测的费效比，在考虑观测指标是否必须的基础上，然后考虑如何使实施该观测所需费用更低。

（三）具有联网对比意义

不同区域和不同生境类型都有其特殊性，一些特殊的观测指标是必需的，以便反映该区域该生态类型下特殊的生态过程。但是在长期生态研究和观测中，要特别考虑联网观测的意义，要设置一些具备进行区域比较和生态类型比较的指标，便于联网观测和对比研究。

（四）能够反映湿地生态系统特征

指标应最能体现湿地生态特征及其动态变化的观测内容和指标。必须关注于其生态系统的结构、过程、状态与功能。长期观测指标包括湿地面积、类型、分布、土壤、植被分布等反映生态系统结构的内容；生产力、物质循环、水分循环和能量流动等反应生态系统过程的指标；植被分布特征、植物群落特征、野生动物群落、外来物种、植物生物量等反映生态系统状态的指标，以及蒸散发量、初级生产力、营养物质保持量等反映湿地生态系统功能的指标等。

(五)样地保护原则

为了确保样地的长久性，应尽可能选择对样地破坏性较小的指标，许多对样地破坏性大的指标虽然具有重要观测意义，也应该避免选择或者限制其观测强度。

另外，观测指标的选择必须以服务管理决策为依据，这是选择观测指标的最根本原则。

二、观测指标体系

(一)湿地总体概况指标

湿地总体概况指标包括地理坐标、平均海拔高度、地貌形态类型、主要湿地类型、湿地成因类型、湿地总面积、湿地水源类型、湿地蓄水量、湿地积水状况、湿地土壤类型、湿地底泥类型及人为干扰强度等指标类别，其各类观测指标见表1-1。

表 1-1　湿地总体概况指标

观测指标	单位	观测频度	备注
地理坐标	°、′、″	每 10 年 1 次	—
平均海拔高度	米	每 10 年 1 次	—
地貌形态类型	—	建站时观测	分为平原、丘陵、高原及盆地等类型
主要湿地类型	—	每 5 年 1 次	分类见 GB/T 24708—2009
湿地成因类型	—	建站时观测	分为地质成因、水文成因及人为成因等类型
湿地总面积	公顷	每年 1 次	—
湿地水源类型	—	每 5 年 1 次	分为天然降水、地表径流、地下水、人工补水及混合类型等类型
湿地蓄水量	立方米	每年 1 次	—
湿地积水状况	—	每年 1 次	分为常年积水型、季节积水型、土壤常年过湿型及土壤季节性过湿型等类型

（续）

观测指标	单位	观测频度	备注
湿地土壤类型	—	每5年1次	分为沼泽土、草甸土、白浆土、盐土、碱土、泥炭土及水稻土等类型
湿地底泥类型	—	每年1次	分为泥质、砂质、砾质及石质等类型
人为干扰强度	—	每年1次	分为重度人为干扰、中度人为干扰、轻度人为干扰及无人为干扰等类型

（二）湿地气象观测指标

湿地气象观测指标包括天气现象、气压、风、空气温度、地表温度、空气湿度、辐射、大气降水及蒸发量等指标类别，其各类观测指标见表1-2。

表1-2　湿地气象观测指标

指标类别	观测指标	单位	观测频度	备注
天气现象	降水、地面凝结、视程障碍及雷电等现象	—	连续观测	—
气压	最高气压	百帕	连续观测	—
	最低气压	百帕	连续观测	—
	定时气压	百帕	连续观测	—
风	湿地上方0.5米、1.0米、2.0米和4.0米处风速	米/秒	连续观测	以观测点下垫面为基准面
	湿地观测塔（或自动气象站）最高处风向（E、S、W、N、SE、NE、SW、NW）	—	连续观测	以观测点下垫面为基准面
空气温度	湿地上方0.5米、1.0米、2.0米和4.0米处最低温度	℃	连续观测	以观测点下垫面为基准面
	湿地上方0.5米、1.0米、2.0米和4.0米处最高温度	℃	连续观测	以观测点下垫面为基准面
	湿地上方0.5米、1.0米、2.0米和4.0米处定时温度	℃	连续观测	以观测点下垫面为基准面
地表温度	地表最低温度	℃	连续观测	—
	地表最高温度	℃	连续观测	—
	定时地表温度	℃	连续观测	—
	地表热通量	瓦/（平方米·秒）	连续观测	—
空气湿度	湿地上方0.5米、1.0米、2.0米和4.0米处湿度	%	连续观测	以观测点下垫面为基准面
辐射	湿地上方1.5米处总辐射量	瓦/平方米	连续观测	以观测点下垫面为基准面
	湿地上方1.5米处净辐射量	瓦/平方米	连续观测	以观测点下垫面为基准面

（续）

指标类别	观测指标	单位	观测频度	备注
辐射	湿地上方 1.5 米处光合有效辐射	瓦/平方米	连续观测	以观测点下垫面为基准面
	日照时数	小时	连续观测	以观测点下垫面为基准面
	湿地上方 1.5 米处紫外辐射量（UV 和 UVB）	瓦/平方米	连续观测	以观测点下垫面为基准面
大气降水	降水总量	毫米	每次降水时观测	—
	降水强度	毫米/小时	每次降水时观测	—
蒸发量	水面蒸发	毫米	连续观测	—
	棵间蒸发量	毫米	连续观测	—

（三）湿地土壤观测指标

湿地土壤观测指标包括土壤物理性质、化学性质、泥炭层及冻土层等指标类别，其各类观测指标见表 1-3。

表 1-3　湿地土壤观测指标

指标类别	观测指标	单位	观测频度	备注
土壤物理性质	沉积物粒度	%	每年 1 次	—
	土壤容重	克/立方厘米	每年 1 次	—
	土壤饱和导水率	毫米/天	每年 1 次	—
	土壤总孔隙度、毛管孔隙度及非毛管孔隙度	%	每年 1 次	—
	土壤坚实度	牛/立方厘米	每年 1 次	—
	沉积层厚度	米	每年 1 次	—
	湿地土壤深度 10 厘米、20 厘米、40 厘米、60 厘米、80 厘米和 100 厘米处含水量	%	连续观测	—
	湿地土壤深度 10 厘米、20 厘米、40 厘米、60 厘米、80 厘米和 100 厘米处温度	℃	连续观测	—
	土壤渗透系数	毫米/天	每年 1 次	—
	土壤蒸发量	毫米	连续观测	—
土壤化学性质	土壤 pH	—	每月 1 次	—
	土壤潜性酸度	厘摩尔/100 克	每年 1 次	—
	土壤阳离子交换量	厘摩尔/千克	每年 1 次	—
	土壤交换性钙和镁（盐碱土）	厘摩尔/千克	每年 1 次	—
	土壤交换性钾和钠	厘摩尔/千克	每年 1 次	—

（续）

指标类别	观测指标	单位	观测频度	备注
土壤化学性质	土壤交换性酸量(酸性土)	厘摩尔/千克	每年1次	—
	土壤交换性盐基总量	厘摩尔/千克	每年1次	—
	土壤碳酸盐量(盐碱土)	厘摩尔/千克	每年1次	—
	氧化还原电位	毫伏	每月1次	—
	土壤有机质	毫克/千克	每年1次	—
	土壤全盐量，土壤水溶性盐分[包括钙离子(Ca^{2+})，镁离子(Mg^{2+})，钾离子(K^+)，钠离子(Na^+)，碳酸根离子(CO_3^{2-})，碳酸氢根离子(HCO_3^-)，氯离子(Cl^-)，硫酸根离子(SO_4^{2-})]	毫克/千克	每季1次	—
	土壤全氮，亚硝态氮	毫克/千克	每季1次	—
	土壤全磷，有效磷	毫克/千克	每季1次	—
	土壤全钾，有效钾	毫克/千克	每季1次	—
	土壤全镁，有效镁	毫克/千克	每2年1次	—
	土壤全钙，有效钙	毫克/千克	每2年1次	—
	土壤全硫，有效硫	毫克/千克	每2年1次	—
	土壤全硼，有效硼	毫克/千克	每2年1次	—
	土壤全锌，有效锌	毫克/千克	每2年1次	—
	土壤全锰，有效锰	毫克/千克	每2年1次	—
	土壤全钼，有效钼	毫克/千克	每2年1次	—
	土壤全铜，有效铜	毫克/千克	每2年1次	—
	土壤全铁，有效铁	毫克/千克	每2年1次	—
	土壤有机碳	毫克/千克	每年1次	—
	土壤二氧化碳通量	克/(平方米·小时)	连续观测	—
	土壤碳储量	吨	每年1次	—
泥炭层	厚度	米	每年1次	—
	分层情况	—	每年1次	—
	分布面积	公顷	每年1次	—
冻土层	厚度	厘米	每年1次	—
	类型	—	每年1次	分为短时冻土、季节冻土及多年冻土等类型
	土壤始冻及解冻时间	年/月/日	始冻及解冻期每日1次	—
	分布面积	公顷	每年1次	—

（四）湿地水文观测指标

湿地水文观测指标按照近海与海岸湿地、河流湿地、湖泊湿地及沼泽湿地等不同的湿地类型确定观测指标，其各类观测指标见表1-4。

表1-4　湿地水文观测指标

指标类别	观测指标	单位	观测频度
近海与海岸湿地	潮汐类型	—	建站时观测
	平均高潮位	米	连续观测
	平均低潮位	米	连续观测
河流湿地	干流和一级支流长度	公里	建站时观测
	流量	立方米/秒	连续观测
	流速	米/秒	连续观测
	最大宽度	米	每5年1次
	最小宽度	米	每5年1次
	平均宽度	米	每5年1次
	水位	米	连续观测
湖泊湿地	岸线周长	米	每5年1次
	水位	米	连续观测
	平均淹水深度	米	连续观测
	最大淹水深度	米	丰水时观测
	流速	米/秒	连续观测
	水分更新率	%	每年1次
沼泽湿地	淹水历时	天	淹水时观测
	淹水面积	公顷	淹水时观测
	平均淹水深度	米	淹水时观测
	最大淹水深度	米	淹水时观测
	地下水位	米	连续观测

（五）湿地水质观测指标

湿地水质观测指标包括湿地水体的物理性质、化学性质及溶解性气体（包括部分温室气体）等指标类别，其各类观测指标见表1-5。

表1-5　湿地水质观测指标

指标类别	观测指标	单位	观测频度	备注
物理性质	温度	℃	每季1次	—
	色度	—	每季1次	—
	浊度	NTU	每季1次	—
	气味	—	每季1次	—
	电导率	微西门子/厘米	每季1次	—
	总残渣	毫克/立方分米	每季1次	—

（续）

指标类别	观测指标	单位	观测频度	备注
化学性质	pH	—	每季 1 次	—
	矿化度	毫克/立方分米	每季 1 次	—
	硬度	毫克/立方分米	每季 1 次	—
	总碱度	毫克/立方分米	每季 1 次	—
	总悬浮性固体（TSS）	毫克/立方分米	每季 1 次	—
	钾离子（K^+），钠离子（Na^+），铁离子（Fe^{2+}），铝离子（Al^{3+}），碳酸根离子（CO_3^{2-}），碳酸氢根离子（HCO_3^-），氯离子（Cl^-），硫酸根离子（SO_4^{2-}）	毫克/立方分米	每季 1 次	—
	总氮（以 N 计），硝态氮（NO_3^-），亚硝态氮（NO_2^-），氨态氮（NH_4^+），总凯氏氮（TKN）	毫克/立方分米	每季 1 次	
	总磷（以 P 计），可溶性磷（PO_4^{3-}）	毫克/立方分米	每季 1 次	—
	化学需氧量（COD）	毫克/立方分米	每季 1 次	—
	五日生物化学需氧量（BOD_5）	毫克/立方分米	每季 1 次	—
	颗粒状有机碳（POC）	毫克/立方分米	每年 1 次	—
	硫化物	毫克/立方分米	每年 1 次	—
	微量元素	毫克/立方米	每年 1 次	包括硼（B）、锰（Mn）、钼（Mo）、锌（Zn）、铁（Fe）及铜（Cu）等
	重金属元素	毫克/立方米	每年 1 次	包括镉（Cd）、铅（Pb）、镍（Ni）、铬（Cr）、铯（Se）、锡（As）、钛（Ti）及汞（Hg）等
	易分解类	毫克/立方分米	每年 1 次	包括硫磷、对硫磷、马拉硫磷、乐果、敌敌畏及敌百虫等
	难分解类	毫克/立方分米	每年 1 次	包括有机氯农药及多氯联苯等
	表面活性剂	毫克/立方分米	每季 1 次	—

（续）

指标类别	观测指标	单位	观测频度	备注
溶解性气体（包括部分温室气体）	气体溶解度	毫克/立方分米	每季1次	—
	溶解氧（DO）	毫克/立方分米	每季1次	—
	氮氧化物	毫克/立方分米	每季1次	包括 N_2O 及 NO_x 等
	二氧化碳（CO_2）	毫克/立方分米	每季1次	—
	氨（NH_3）	毫克/立方分米	每季1次	—
	硫化氢（H_2S）	毫克/立方分米	每季1次	—
	甲烷（CH_4）	毫克/立方分米	每季1次	—

（六）湿地生物观测指标

湿地生物观测指标包括湿地植被特征、湿地植物群落特征、湿地植物群落生物量、湿地植物凋落物、湿地野生动物、湿地土壤动物、湿地浮游动物、湿地浮游植物、湿地底栖动物、湿地微生物及湿地濒危物种等指标类别，其各类观测指标见表1-6。

表 1-6　湿地生物观测指标

指标类别	观测指标	单位	观测频度	备注
物理性质	类型	—	每年1次	—
	面积	公顷	每年1次	—
	覆盖率	%	每年1次	—
湿地植物群落特征	种群组成	—	每月1次（生长期）	—
	生活型	—	每月1次（生长期）	—
	多度	—	每月1次（生长期）	—
	密度	株(丛)/平方米	每月1次（生长期）	—
	盖度	%	每月1次（生长期）	—
	高度	米	每月1次（生长期）	—
	叶面积指数	—	每月1次（生长期）	—
湿地植物群落生物量	地上生物量	千克/平方米，吨/公顷	每月1次（生长期）	分为草本、灌木、乔木等类型
	地下生物量	克/立方米	每月1次（生长期）	分为草本、灌木、乔木等类型

（续）

指标类别	观测指标	单位	观测频度	备注
湿地植物凋落物	厚度	密	每年 1 次（枯萎期）	—
	重量	千克/平方米	每年 1 次（枯萎期）	—
湿地野生动物	种类	—	每季 1 次	迁徙期、洄游期同步观测
	密度	—	每季 1 次	迁徙期、洄游期同步观测
湿地土壤动物	种类	—	每季 1 次	—
	密度	个/平方米	每季 1 次	—
	生物量	克/平方米	每季 1 次	—
湿地浮游动物	种类	—	每季 1 次	—
	密度	个/立方米	每季 1 次	—
	生物量	克/立方米	每季 1 次	—
湿地浮游植物	种类	—	每季 1 次	主要指藻类
	生物量	毫克/立方分米	每季 1 次	
	叶绿素 a	毫克/立方分米	每季 1 次	
湿地底栖动物	种类	—	每季 1 次	
	密度	个/平方米	每季 1 次	
	生物量	克/平方米	每季 1 次	
湿地微生物	种类	—	每季 1 次	
	菌落数	CFU/立方厘米，CFU/克	每季 1 次	
	总大肠菌群数	MPN/立方厘米	每月 1 次	
	致病性病毒种类	—	每月 1 次	
湿地濒危物种	种类	—	每季 1 次	迁徙期、洄游期同步观测
	数量	—	每季 1 次	迁徙期、洄游期同步观测

（七）湿地灾害观测指标

湿地灾害观测指标包括疫源疫病、有害入侵物种、虫害、病害、兽害、火灾、水华/赤潮及气象灾害等指标类别，其各类观测指标见表 1-7。

表 1-7　湿地灾害观测指标

指标类别	观测指标	单位	观测频度	备注
疫源疫病	疫源种类	—	发生时监测	—
	疫病类型	—	发生时观测	—
	发生区域	—	发生时观测	—
	疫源异常比率	%	发生时观测	—

（续）

指标类别	观测指标	单位	观测频度	备注
有害入侵物种	种类	—	发生时观测	—
	发生面积	公顷	发生时观测	—
虫害	有害昆虫与天敌种类	—	发生时观测	—
	发生面积	公顷	发生时观测	—
	受到有害昆虫危害的植株占总植株的百分率	%	发生时观测	—
	有害昆虫的植株虫口密度	个/公顷	发生时观测	—
病害	植物受感染的有害菌类种类	—	发生时观测	—
	受到菌类感染的植株占总植株的百分率	%	发生时观测	—
	受到菌类感染的湿地面积	公顷	发生时观测	—
兽害	种类	—	每年1次	—
	发生面积	公顷	每年1次	—
	强度(比如鼠、兔密度等)	—	每年1次	—
火灾	过火面积	公顷	发生时观测	—
	过火持续时间	天	发生时观测	—
	火灾发生频度	次	发生时观测	—
	类型	—	发生时观测	分为地面火和地下火
	强度	—	发生时观测	分为重大火灾、较大火灾及一般火灾等类型
水华/赤潮	发生频度	次	发生时观测	—
	发生面积	公顷	发生时观测	—
	持续时间	天	发生时观测	—
	危害程度	—	发生时观测	—
气象灾害	类型	—	发生时观测	分为洪涝、干旱、冷害、冻害、雪害、雹害、风害及龙卷风等类型
	强度	—	发生时观测	—

第四节　建设现状

　　截至 2020 年 12 月，中国已经建立了 40 个湿地生态系统定位研究站，包括了沼泽、湖泊、河流、滨海等四大自然湿地类型和人工湿地类型的 10 个亚类，遍布 24 个省(自治区、直辖市)，初步形成了覆盖重点生态区域的湿地定位观测研究网络(图 1-1、表 1-8)。

图 1-1　湿地生态站建设现状

表 1-8　中国各湿地分区湿地生态站规划建设情况

分布区域	已建数量(个)	分布区域	已建数量(个)
东北湿地区	7	西南湿地区	3
黄河中下游湿地区	4	东南和南部湿地区	0
长江中下游湿地区	6	滨海湿地区	11
西北干旱半干旱湿地区	6	全国	40
青藏高原湿地区	3		

第五节　重点研究领域

一、湿地生态系统服务功能评价、维持与调控

基于湿地生态站网长期观测数据，重点围绕湿地生态系统结构功能和过程机理、人类活动影响下湿地生态系统生态服务功能潜能及维持机制，构建多尺度湿地生态服务功能预测预报模型；研究变化环境下的湿地生态系统核心生态服务功能时空格局动态及退化湿地生态系统的功能恢复驱动机制；建立适合于中国湿地生态系统生态服务功能评价的理论与方法；探究受损湿地生态系统服务功能恢复与调控途径。

二、湿地生态系统与全球气候变化的相互作用机理

在个体、群落尺度上，通过湿地生态系统长期定位观测，研究植被水分和全球气候变化之间的关系；利用遥感、数值模拟等手段，获取不同时期植被、气象、水文、土壤数据信息，重建长时间序列流域植被特征参数，揭示典型生态系统在水分和温度梯度上的分布格局与响应规律。基于过程的分布式模拟手段，以生态系统水文循环为主要过程，充分耦合同期的植被生长和生产力形成过程、同期土壤碳的分解与形成过程；以系统水量平衡和碳素平衡为中心，探讨这两个关键过程的协变机制，及其对气候变化的响应机制。

三、典型湿地生态系统演替及对人类干扰的响应研究

通过长期定位观测，根据湿地生态环境的理化性质、营养物质的输入输出、湿地生物群落类型，分析典型湿地生态系统的基本结构特征以及不同环境因子在湿地生态系统演替中的作用机制，研究不同时空尺度下沼泽、湖泊、河流及滨海湿地等典型自然湿地生态系统的形成、发育及演替规律，并进一步对湿地生态系统演替与人类干扰之间的响应规律进行研究，为实施国家湿地保护工程提供科技支撑。

四、湿地生态系统碳、氮、水耦合观测与模拟

利用涡度相关观测、同位素分析和其他实验生态学方法，研究典型湿

地生态系统土壤–植物–大气系统水碳氮循环的生物、物理和化学过程及其对环境要素的响应和适应性。综合分析生态系统的碳循环和氮素代谢的速率、周期和各组分的比例关系，研究氮素代谢对水碳循环的影响，重点分析碳、水循环与氮素代谢的耦合关系，揭示生态系统对碳、氮的固定和释放通量与主要生命元素平衡的基本关系。

五、土地利用/覆被变化对湿地生态系统结构与功能的影响

建立土地利用变化对生物地球化学循环的响应和动态机制模型；探索土地利用变化与碳收支平衡和碳源/汇时空动态变化关系；基于气候驱动生态系统过程模型，估计土地利用和气候变化对湿地生态系统结构与功能的影响，揭示土地利用/覆被动态变化过程导致湿地生态系统结构变化所引发的生物地球化学循环、能量流动、生产力等生态过程变化，探索土地利用变化下湿地生态系统管理的有效途径。

第六节　建　议

（1）开展中国湿地生态系统定位研究站布局建设现状评估，评估已有定位研究站对具有代表性的湿地生态系统覆盖情况，确定定位观测不足的区域，结合国家公园、自然保护区和湿地公园建设布局，提出优化调整方案，进一步完善湿地生态系统定位研究站网。

（2）进一步理顺管理体制机制，在定期上报观测数据基础上，依托林草行业科研院所对数据库内数据进行分类整理汇总和分析，深入挖掘湿地生态系统定位研究站观测数据价值，并服务于国家林草局的日常管理决策。

（3）增加湿地生态系统定位研究站运行补助项目资助力度，探索设置依托生态站开展的长期持续资助示范项目，鼓励生态站对所在区域的生态问题开展长期研究和定位观测。

（4）增加湿地生态系统定位研究站之间的合作交流，定期组织不同生态站之间的学习交流；设置公众开放日，依托湿地生态系统定位研究站开展湿地自然教育和科普宣教活动。

第二章　中国湿地生态系统格局

目前，我国已完成了两次全国湿地资源调查，分别是1995—2003年的第一次全国湿地资源调查和2009—2013年的第二次全国湿地资源调查。根据全国湿地资源调查技术规程要求，第一次全国湿地资源调查中，近海和海岸、湖泊、沼泽、库塘的起调范围是面积100公顷以上的湿地，河流的起调范围是宽度≥10米、面积≥100公顷的水系；第二次全国湿地资源调查的起调范围则是面积8公顷以上的湿地，以及宽度10米以上、长度5公里以上的河流湿地。第一次全国湿地资源调查期间，中国湿地面积*为3848.55万公顷；第二次全国湿地资源调查期间，中国湿地面积为5342.06万公顷。

第一节　中国湿地类型与面积

一、中国湿地类型

根据我国湿地资源现状以及《湿地公约》湿地分类系统，我国湿地分为近海与海岸湿地、河流湿地、湖泊湿地、沼泽湿地和人工湿地等5类42型（表2-1）。

二、湿地面积

第一次全国湿地资源调查期间，我国湿地面积为3848.55万公顷，湿地率为4.04%。其中自然湿地面积为3620.06万公顷，占湿地总面积的94.06%；人工湿地面积为228.50万公顷，占湿地总面积的5.94%。自然湿地中，近海与海岸湿地594.17万公顷，河流湿地820.70万公顷，湖泊

＊　本报告中的全国性统计数据，均未包括香港特别行政区、澳门特别行政区和台湾地区。

表 2-1　中国湿地类型

属性	湿地类	湿地型	湿地型数量
自然湿地	近海与海岸湿地	浅海水域、潮下水生层、珊瑚礁、岩石海岸、沙石海滩、淤泥质海滩、潮间盐水沼泽、红树林、河口水域、河口三角洲/沙洲/沙岛、海岸性咸水湖、海岸性淡水湖	12
	河流湿地	永久性河流、季节性或间歇性河流、洪泛湿地、喀斯特溶洞湿地	4
	湖泊湿地	永久性淡水湖、永久性咸水湖、永久性内陆盐湖、季节性淡水湖、季节性咸水湖	5
	沼泽湿地	苔藓沼泽、草本沼泽、灌丛沼泽、森林沼泽、内陆盐沼、季节性咸水沼泽、沼泽化草甸、地热湿地、淡水泉/绿洲湿地	9
人工湿地	——	水库、运河/输水河、淡水养殖场、海水养殖场、农用池塘、灌溉用沟/渠、稻田/冬水田、季节性洪泛农业用地、盐田、采矿挖掘区和塌陷积水区、废水处理场所、城市人工景观水面和娱乐水面	12

湿地 835.16 万公顷，沼泽湿地 1370.03 万公顷，分别占湿地总面积的 15.44%、21.32%、21.70%和 35.60%。

第二次全国湿地资源调查期间，我国湿地总面积为 5342.06 万公顷，湿地率为 5.61%。其中自然湿地面积为 4667.47 万公顷，占湿地总面积的 87.37%；人工湿地面积为 674.59 万公顷，占湿地总面积的 12.63%。自然湿地中，近海与海岸湿地 579.60 万公顷，河流湿地 1055.21 万公顷，湖泊湿地 859.38 万公顷，沼泽湿地 2173.29 万公顷，分别占湿地总面积的 10.85%、19.75%、16.09%和 40.68%（表 2-2）。

表 2-2　中国湿地类型及面积

湿地类型		第一次全国湿地资源调查		第二次全国湿地资源调查	
		面积(万公顷)	比例(%)	面积(万公顷)	比例(%)
自然湿地	近海与海岸湿地	594.17	15.44	579.60	10.85
	河流湿地	820.70	21.32	1055.21	19.75
	湖泊湿地	835.16	21.70	859.38	16.09
	沼泽湿地	1370.03	35.60	2173.29	40.68
	小计	3620.06	94.06	4667.47	87.37
人工湿地		228.50	5.94	674.59	12.63
合计		3848.55	100.00	5342.06	100.00

第二节　湿地分布格局

一、省级湿地分布格局

各省级行政区的湿地资源总量和湿地率均有很大差异(图 2-1)。其中，第一次全国湿地资源调查期间，湿地面积较大的省份有西藏、黑龙江、内蒙古、青海、山东、江苏、新疆、广东、浙江、甘肃和湖南，这10个省份的湿地面积占全国湿地总面积的 69.30%。按照湿地率统计，排名前 10 位的省份为上海、江苏、天津、山东、黑龙江、辽宁、广东、浙江、吉林和海南，湿地率均超过 6.00%。

第二次全国湿地资源调查期间，湿地面积较大的省份有青海、西藏、内蒙古、黑龙江、新疆、江苏、广东、四川、山东和甘肃，这 10 个省份的湿地面积占全国湿地总面积的 74.00%。按照湿地率统计，排名前 10 位的省份为上海、江苏、天津、青海、黑龙江、山东、浙江、广东、辽宁和湖北，湿地率均超过 7.50%。

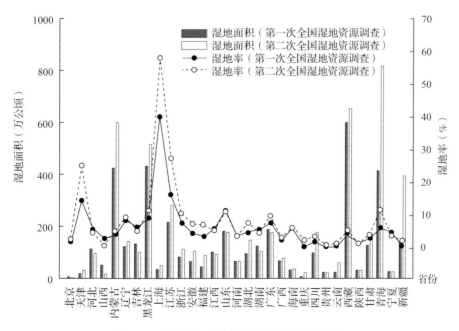

图 2-1　全国各省份的湿地面积与湿地率

二、区域湿地分布格局

按照我国六大地理分区来看，第一次湿地资源调查期间，西北地区湿地面积最大，为 734.28 万公顷，其次分别为东北 673.78 万公顷、华东 667.63 万公顷、西南 655.16 万公顷、华北 603.30 万公顷和南部 514.40 万公顷，分别占全国湿地面积的 19.08%、17.51%、17.35%、17.02%、15.68% 和 13.37%。第二次湿地资源调查期间，西北地区湿地面积仍然最大，为 1430.13 万公顷，其次分别为西南 925.72 万公顷、华东 895.79 万公顷、东北 753.57 万公顷、华北 744.81 万公顷和南部 592.04 万公顷，分别占全国湿地面积的 26.77%、17.33%、16.77%、14.11%、13.94% 和 11.08%。区域湿地面积排序变化的原因可能与不同起调范围有关（图 2-2）。

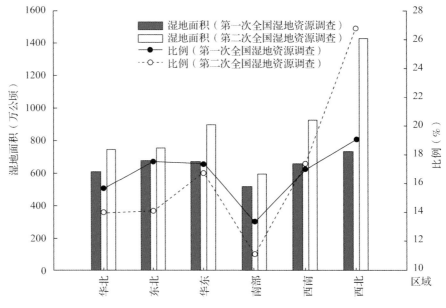

图 2-2　全国不同区域湿地面积及其占比

三、不同类型湿地分布特征

按照湿地类型划分，近海与海岸湿地分布在我国沿海的山东、广东、江苏、辽宁、浙江、福建、广西、上海、河北、海南和天津 11 个省（自治区、直辖市）（图 2-3）。

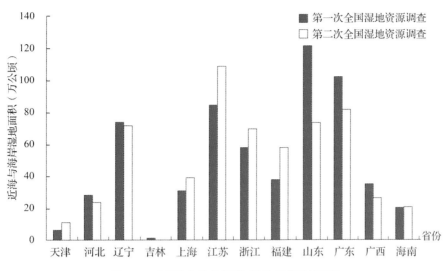

图 2-3　不同省份的近海及海岸湿地面积

对于河流湿地，第一次全国湿地资源调查期间，主要分布在湖南、内蒙古、吉林、甘肃、四川、河南、黑龙江、山西、湖北和河北 10 个省份，其面积占全国河流湿地面积的 61.97%。第二次全国湿地资源调查期间，河流湿地主要分布在西藏、新疆、青海、黑龙江、内蒙古、四川、湖北、湖南、甘肃和河南 10 个省份，其面积占全国河流湿地面积的 64.30%（图 2-4）。

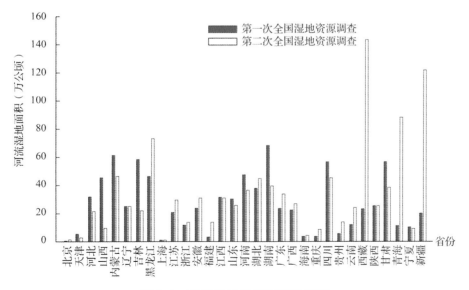

图 2-4　不同省份的河流湿地面积

对于湖泊湿地，第一次全国湿地资源调查期间，主要分布在西藏、青海、新疆、江苏、内蒙古、江西、黑龙江、湖南、安徽和河北 10 个省份，其面积占全国湖泊湿地面积的 88.93%。第二次全国湿地资源调查期间，湖泊湿地主要分布在西藏、青海、新疆、内蒙古、江苏、湖南、江西、安徽、黑龙江和湖北 10 个省份，其面积占全国湖泊湿地面积的 94.68%（图 2-5）。

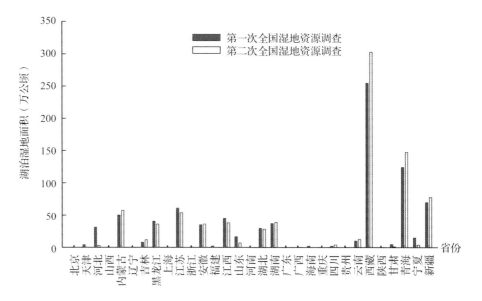

图 2-5　不同省份的湖泊湿地面积

对于沼泽湿地，第一次全国湿地资源调查期间，主要分布在黑龙江、内蒙古、青海、西藏、甘肃、新疆、吉林、四川、河北和江西 10 个省份，其面积占全国沼泽湿地面积的 98.30%。第二次全国湿地资源调查期间，沼泽湿地主要分布在青海、内蒙古、黑龙江、西藏、新疆、甘肃、四川、吉林、河北和辽宁 10 个省份，其面积占全国沼泽湿地面积的 98.39%（图 2-6）。

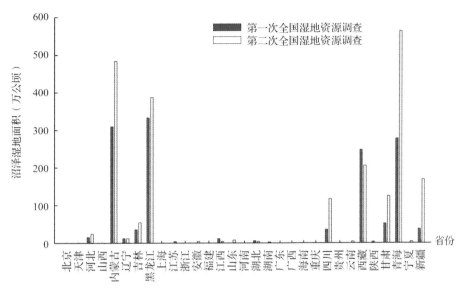

图 2-6 不同省份的沼泽湿地面积

对于人工湿地，第一次全国湿地资源调查期间，主要分布在湖北、吉林、湖南、广东、新疆、河南、黑龙江、甘肃、江西和辽宁，其面积占全国人工湿地面积的 65.39%。第二次全国湿地资源调查期间，人工湿地主要分布在江苏、湖北、山东、广东、安徽、辽宁、新疆、浙江、河北和河南，其面积占全国人工湿地面积的 66.13%（图 2-7）。

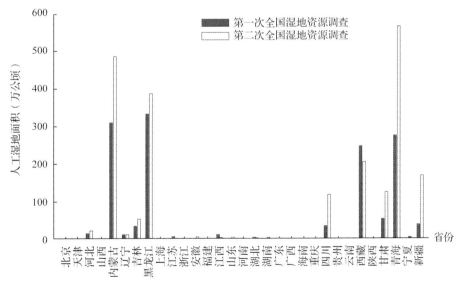

图 2-7 不同省份的人工湿地面积

　　尽管自然湿地占全国湿地总面积的 87% 以上，但与第一次调查同口径对比下，第二次调查自然湿地面积减少了 337.62 万公顷，减少率为 9.33%，占湿地总减少面积的 99.41%。因此保护自然湿地，防止其面积减小对于遏制我国湿地总面积的减少至关重要。此外，河流、湖泊湿地沼泽化，河流湿地转为人工库塘等情况也很突出，因此，预防河湖的人工化是遏制自然湿地减少的重要途径。

第三章 中国湿地生态健康评价

　　健康的湿地对于维持人类生存和可持续发展具有重要意义。目前全球湿地面临极大的压力，耕地开垦和城市的扩张侵占了大面积的湿地，加速了湿地生态健康状况下降。我国也面临同样的问题，1980—2010年我国有1150万公顷的湿地丧失。与此同时，我国政府实施了多种湿地保护与恢复政策，极大降低了湿地面积的减少率。社会经济发展和多种保护政策引起的湿地面积变化也可能导致湿地生态健康的改变。分析湿地生态健康时空变化特征，辨识影响湿地生态健康变化的关键驱动机制，明确提升湿地生态健康的保护管理措施，对于加强湿地保护工作至关重要。

　　首先利用综合因子模型分析了我国第一次湿地资源调查（1995—2003年）到第二次湿地资源调查（2009—2013年）期间的湿地生态健康时空动态变化；其次利用结构方程模型系统评价了社会经济发展和生态保护与恢复政策对湿地生态健康的影响。旨在阐述我国湿地生态健康的时空变化，明确主要驱动因子，为有效保护湿地资源、提高湿地生态健康提供有效的管理策略。

第一节　湿地生态健康评价方法

一、评价指标体系构建

　　以我国湿地生态系统（包括沼泽、湖泊水库和河流三种类型）为研究对象，构建了湿地生态健康评价指标体系（表3-1），该指标体系包含物理、化学和生物等多种综合反映湿地生态系统结构、功能和恢复力的指标。

表 3-1　中国湿地生态状健康评价指标

一级指标	二级指标	评价方法	数据来源
物理指标	湿地率	湿地面积/评估区面积	中国生态系统评估与生态安全数据库
	自然湿地率	自然湿地面积/湿地面积	中国湿地资源系列图书，中国生态系统评估与生态安全数据库
	斑块密度	湿地斑块数/湿地面积	中国生态系统评估与生态安全数据库
生物指标	物种丰度	物种数量/湿地面积	中国湿地资源系列图书，中国生态系统评估与生态安全数据库
	植被生物量	—	中国生态系统评估与生态安全数据库
	生物多样性	权重累计求和	中国湿地资源系列图书
	国家重点保护物种	种类累加	中国湿地资源系列图书
	湿地外来入侵物种	种类累加	中国湿地资源系列图书
化学指标	土壤污染物	种类累加	《中国环境状况公报》
	湖泊（水库）富营养化率	富营养化湖泊（水库）数量/湖泊（水库）调查总数量	《中国环境状况公报》
	地表水Ⅲ类及以上水质比率	地表水Ⅲ类及以上水质断面数量/地表水水质监测断面数量	《中国环境状况公报》

利用综合指数法（comprehensive index，CI）评价我国湿地生态健康状况。

$$I_C = \sum_{i=1}^{n} NI_i \times W_i \tag{3-1}$$

$$NI_i = \frac{NI_{iold} - NI_{imin}}{NI_{imax} - NI_{imin}} \tag{3-2}$$

式中：I_C 为湿地生态状况综合指数；n 为评价指标的个数；NI_i 为第 i 种指标的归一化值（公式 3-2），$0 \leqslant NI_i \leqslant 1$；$NI_{iold}$、$NI_{imax}$ 和 NI_{imin} 分别为第 i 种指标的原始值、最大值和最小值；NI_{iold} 根据数据大小分级或者国家标准获得（表 3-2）；W_i 为指标 i 的权重（表 3-3），该数据采用层次分析法（analytic hierarchy process，AHP）并参照中国湿地资源系列图书获得。

表 3-2　中国湿地生态健康评价指标分级

类型	指标	单位	分级					标准
			I	II	III	IV	V	
			9	7	5	3	1	
物理指标	湿地率	%	≥9	5~9	3~5	1~3	≤1	数据大小
	自然湿地率	%	≥3.5	2.0~3.5	1.4~2.0	0.8~1.4	≤0.8	数据大小
	斑块密度	个/千公顷	≥126	101~126	75~101	52~75	≤52	数据大小
生物指标	物种丰度	种/万公顷	≥92	45~92	19~45	9~19	≤9	数据大小
	植被生物量	克/平方米	≥108	60~108	28~60	9~28	≤9	数据大小
	生物多样性		≥60	30~60	20~30	≤20		国家标准
	国家重点保护物种	种	≥66	51~66	36~51	25~36	≤25	数据大小
	湿地外来入侵物种	种		否		是		是/否
化学指标	土壤污染物	种		否		是		是/否
	湖泊(水库)富营养化率	%	≤11	11~33	33~58	58~81	≥81	数据大小
	地表水III类及以上水质比率	%	≥83	66~83	45~66	25~45	≤25	数据大小

表 3-3　湿地生态健康评价指标权重

指标	权重	指标	权重
物理指标	0.220	湿地率	0.100
		自然湿地率	0.100
		斑块密度	0.020
生物指标	0.473	物种丰度	0.180
		植被生物量	0.075
		生物多样性	0.096
		国家重点保护物种种数	0.061
		湿地外来入侵物种	0.061
化学指标	0.307	土壤污染物	0.061
		湖泊(水库)富营养化率	0.096
		地表水III类及以上水质比率	0.150

将 CI 值分为 I 、II 、III 、IV 和 V 5 个水平(表 3-4),并对中国湿地生

态健康状况进行分级。

表 3-4　全国湿地生态健康状况等级

分级	湿地生态健康状况综合指数
I	0.8~1.0
II	0.6~0.8
III	0.4~0.6
IV	0.2~0.4
V	0.0~0.2

二、湿地生态健康变化的驱动因素

社会经济发展和保护恢复政策实施导致湿地生态健康的变化。该研究选取的社会经济发展指标包括人口密度、城镇化率、农业发展(作物产量和围垦面积);湿地保护恢复指标包括湿地保护率和退耕还湿面积(表 3-5)。利用结构方程模型分析了人口密度(人口密度变化)、城镇化率(城镇化率变化)、农业发展(作物产量和围垦面积变化)、湿地保护(湿地保护率变化)和退耕还湿(退耕还湿面积变化)与湿地生态健康综合指数变化之间的关系。

三、数据来源

自然湿地面积、物种种数(包括脊椎动物、维管束植物、国家重点保护物种和湿地外来入侵物种)、湿地保护面积和湿地范围人口数量来自中国湿地资源系列图书;湿地面积、各省份面积、湿地斑块数、植被生物量、湿地围垦面积和退耕还湿面积来自中国生态系统评估与生态安全数据库(http://www.ecosystem.csdb.cn/);污染物、湖泊(水库)富营养化率和地表水 III 类及以上水质比率来自《2000—2013 年中国环境状况公报》。

表 3-5　中国社会经济和湿地保护指标的变化

省份	人口密度(人/公顷)		城镇化率(%)		作物产量(百万吨)		围垦(千公顷/年)		退耕还湿(千公顷/年)		湿地保护率(%)	
	FIP	SIP	FIP	SIP	FIP	SIP	FIP	SIP	FIP	SIP	FIP	SIP
北京	8.3	12.0	77.5	85.6	1.4	1.1	1.4	0.4	0.4	0.4	29.8	43.9
天津	8.6	11.1	72.0	79.3	1.2	1.6	0.9	1.1	2.0	0.5	61.1	31.8

（续）

省份	人口密度（人/公顷）		城镇化率（%）		作物产量（百万吨）		围垦（千公顷/年）		退耕还湿（千公顷/年）		湿地保护率（%）	
	FIP	SIP	FIP	SIP	FIP	SIP	FIP	SIP	FIP	SIP	FIP	SIP
河北	3.6	3.8	26.1	44.3	22.7	27.9	2.5	1.3	3.9	1.5	2.7	28.8
山西	2.1	2.3	34.9	47.8	5.7	10.0	0.8	0.2	0.1	1.7	1.9	39.3
内蒙古	0.2	0.2	42.7	55.0	8.8	17.1	9.1	7.1	3.5	4.9	31.3	24.6
辽宁	2.9	3.0	54.2	62.2	9.6	16.1	0.8	1.2	1.3	2.0	49.1	43.0
吉林	1.4	1.4	49.7	53.4	13.8	25.7	6.3	2.7	4.1	2.9	60.8	43.0
黑龙江	0.8	0.8	51.5	56.0	19.3	42.6	33.6	25.6	10.4	14.5	33.7	81.6
上海	20.2	29.0	88.3	89.0	1.7	1.1	1.8	3.0	0.8	1.9	12.6	24.2
江苏	7.2	7.7	41.5	58.8	28.3	30.3	23.6	16.8	12.0	17.1	32.9	16.5
浙江	4.5	5.2	48.7	60.1	10.7	6.9	0.5	3.0	0.2	1.6	3.1	60.0
安徽	4.3	4.3	27.8	43.5	21.5	29.0	5.7	13.9	12.8	12.8	18.3	41.6
福建	2.8	3.0	41.6	54.8	6.5	5.2	0.6	0.6	1.6	1.0	29.8	16.8
江西	2.5	2.7	27.7	44.4	15.1	18.7	1.2	0.1	0.3	0.0	15.0	36.4
山东	5.8	6.1	38.0	49.6	34.4	41.0	3.4	2.3	6.3	3.7	14.2	39.0
河南	5.7	5.7	23.2	39.1	36.3	51.9	2.4	3.7	7.7	3.1	20.1	30.6
湖北	3.0	3.1	40.2	48.9	19.5	21.6	3.2	1.5	6.9	2.4	12.5	47.3
湖南	3.1	3.1	29.8	44.2	25.4	26.8	0.5	0.5	1.1	0.7	31.7	69.3
广东	4.9	5.9	55.0	65.0	15.0	11.3	3.2	4.5	8.2	3.7	13.6	5.9
广西	2.0	1.9	28.2	40.5	14.1	13.3	0.1	0.4	0.3	0.2	8.4	13.2
海南	1.6	1.7	40.1	49.8	1.6	1.5	0.5	0.2	0.4	0.4	9.5	9.3
重庆	3.5	3.5	33.1	53.3	8.3	8.2	0.0	0.0	2.9	2.8	1.7	9.0
四川	1.7	1.7	26.7	40.3	27.1	26.1	0.1	0.1	0.9	0.7	32.9	55.2
贵州	2.1	2.0	23.9	32.4	9.2	8.9	0.0	0.0	0.6	0.9	5.5	26.5
云南	1.1	1.2	23.4	35.4	11.9	12.8	0.3	0.3	0.6	0.4	64.9	36.7
西藏	0.0	0.0	18.9	23.3	0.3	0.3	0.2	0.0	0.0	0.1	66.8	50.7
陕西	1.8	1.8	32.3	45.4	9.3	10.2	1.2	0.6	1.0	0.9	13.4	27.3
甘肃	0.6	0.6	24.0	34.9	4.8	6.5	0.4	0.2	0.2	0.2	9.0	51.8
青海	0.1	0.1	34.8	44.1	0.5	0.5	0.0	0.0	0.4	0.1	31.0	64.3
宁夏	1.1	1.2	32.4	48.0	2.2	3.1	0.4	1.2	0.7	1.5	3.8	33.4
新疆	0.1	0.1	33.8	41.7	7.3	11.0	3.0	2.4	2.1	3.0	73.9	53.5
全国	1.3	1.4	39.4	50.6	393.5	488.2	107.7	94.7	93.8	88.0	25.6	37.2

注：FIP，第一次调查期间；SIP，第二次调查期间。

第二节　中国湿地生态健康时空变化

一、中国湿地生态健康指标时空动态变化

第一次到第二次全国湿地资源调查期间，除了斑块密度和富营养化率外，湿地率、自然湿地率、物种丰度、生物量、生物多样性、国家重点保护物种、湿地外来入侵物种、土壤污染和地表水Ⅲ类及以上（包括Ⅰ类、Ⅱ类和Ⅲ类）水质比率均呈现升高的趋势（表 3-6）。同时，这些指标也呈现明显的空间变化。对于自然湿地率、斑块密度、生物多样性和地表水Ⅲ类及以上水质比率指标，较高值主要分布在西部省份。自然湿地率最高值分布在西北部的宁夏和甘肃；斑块密度最高值在四川；生物多样性较高值在云南、广西、浙江；地表水Ⅲ类及以上水质比率较高值在西藏、青海和贵州。对于湿地率、生物量、国家重点保护物种、富营养化率指标，较高值主要分布在北部和中东部省份。湿地率较高值分布在江苏和天津；国家重点保护物种较高值分布在江苏和浙江；富营养化率较高值分布在上海、江苏和天津。

二、中国湿地生态健康综合指数时空动态变化

第一次和第二次全国湿地资源调查期间，我国湿地生态健康综合指数分别为 0.505 和 0.542，均为Ⅲ级水平。两次调查期间，我国湿地生态健康综合指数提高了 7.2%。除部分省份外，绝大多数省份湿地生态健康综合指数均呈现升高趋势。其中长江中游（湖南 109.0%、湖北 40.7%）、青藏高原东部和北部（甘肃 76.9%、四川 70.1%、青海 64.9% 和新疆 47.7%）增长较大（表 3-7）。

另外，湿地生态健康综合指数呈现明显的空间变化（表 3-7）。第一次调查期间，南部省份（福建、海南、广西和广东）、中部和东部省份（浙江、江西和上海）、西南部省份（贵州、重庆、西藏）和黑龙江湿地生态健康综合指数较高，达到Ⅲ级水平。第二次调查期间，福建湿地生态健康综合指数最高，其次为浙江，均达到Ⅱ级水平。

表3-6　中国湿地生态系统健康指标变化

省份	湿地率(%)		自然湿地率(%)		斑块密度(个/千公顷)		物种丰度(种/万公顷)		生物量(克/平方米)		生物多样性		国家重点保护物种(种)		湿地外来入侵物种		土壤污染		富营养化率(%)		地表水Ⅲ类及以上水质比率(%)	
	FIP	SIP	FIP	SIP	FIP	SIP	FIP	SIP	FIP	SIP	FIP	SIP	FIP	SIP	FIP	SIP	FIP	SIP	FIP	SIP	FIP	SIP
北京	3	2	0	0	87	113	125	190	12	15	23	23	19	19	是	是	是	是	73	46	34	56
天津	19	17	1	1	43	55	35	30	32	23	30	27	22	31	是	是	是	是	100	58	32	83
河北	2	2	2	2	82	87	29	34	5	5	39	36	71	75	是	是	是	是	100	23	34	47
山西	0	0	8	7	76	69	155	181	1	1	27	26	19	22	是	是	是	是	71	0	3	35
内蒙古	4	4	1	1	25	25	2	2	31	84	27	27	33	33	是	是	是	是	44	86	21	66
辽宁	3	3	2	2	82	86	19	17	20	32	33	31	22	35	是	是	是	是	100	0	13	23
吉林	3	3	2	1	44	44	14	15	20	49	28	28	25	25	是	是	是	是	44	30	56	56
黑龙江	9	9	1	1	21	20	2	3	79	211	38	30	57	83	是	是	是	是	73	50	56	40
上海	8	9	5	3	126	150	63	80	33	39	24	23	28	36	是	是	是	是	97	80	20	23
江苏	16	15	1	1	70	68	7	9	43	34	43	51	88	93	是	是	是	是	100	73	22	36
浙江	7	6	1	1	123	126	31	39	38	108	60	66	83	89	是	是	是	是	100	32	78	74
安徽	7	7	1	1	126	110	9	12	28	44	33	64	46	54	是	是	是	是	30	28	36	56
福建	2	2	2	3	93	82	114	113	13	48	55	55	88	88	是	是	是	是	67	18	73	96
江西	5	5	1	1	65	65	15	19	24	82	43	47	81	30	是	是	是	是	25	33	50	81
山东	6	6	2	1	63	61	7	16	14	16	32	49	44	82	是	是	是	是	81	75	25	33
河南	2	2	2	1	163	150	33	46	8	12	27	38	36	54	是	是	是	是	27	8	30	60

（续）

省份	湿地率（%）		自然湿地率（%）		斑块密度（个/千公顷）		物种丰度（种/万公顷）		生物量（克/平方米）		生物多样性		国家重点保护物种（种）		湿地外来入侵物种		土壤污染		富营养化率（%）		地表水Ⅲ类及以上水质比率（%）	
	FIP	SIP	FIP	SIP	FIP	SIP	FIP	SIP	FIP	SIP	FIP	SIP	FIP	SIP	FIP	SIP	FIP	SIP	FIP	SIP	FIP	SIP
湖北	7	7	1	0	51	49	9	13	27	50	34	46	46	73	是	是	是	是	20	33	59	87
湖南	4	4	1	1	68	68	7	14	24	65	30	41	56	66	是	是	是	是	100	10	44	92
广东	5	5	2	2	110	110	14	15	50	87	46	44	35	46	是	是	是	是	23	33	59	71
广西	2	2	1	1	90	85	81	41	20	51	67	53	57	57	是	是	是	是	44	3	75	72
海南	2	2	2	2	94	90	55	38	60	105	23	21	15	8	是	是	是	是	8	6	83	83
重庆	1	2	0	0	149	118	92	64	6	41	29	39	12	30	是	是	是	是	11	28	78	100
四川	2	2	1	2	182	182	8	17	16	27	33	42	51	58	是	是	是	是	67	20	43	83
贵州	1	1	2	2	172	143	85	123	9	20	32	45	40	63	是	是	是	是	19	21	80	72
云南	1	1	1	1	176	168	75	121	13	22	52	66	79	78	是	是	是	是	52	56	30	67
西藏	4	4	1	1	78	74	1	2	6	7	18	31	23	76	是	是	是	是	31	0	100	100
陕西	1	1	2	2	181	174	42	58	3	8	25	27	29	20	否	是	是	是	44	25	28	46
甘肃	1	1	4	4	102	98	12	56	1	2	19	31	33	31	否	否	是	是	61	75	14	71
青海	7	7	1	1	69	68	1	1	5	3	19	23	24	25	否	否	是	是	100	0	79	93
宁夏	1	1	5	5	115	90	72	65	2	2	19	19	32	17	否	否	是	是	44	27	45	61
新疆	1	1	2	2	52	48	4	7	2	2	27	30	16	28	否	是	是	是	65	19	70	91

注：FIP，第一次调查期间；SIP，第二次调查期间。

表 3-7　中国各省份湿地生态健康综合指数

省份	湿地生态健康综合指数				变化（%）
	第一次调查期间	等级	第二次调查期间	等级	
北京	0.334	IV	0.394	IV	18.1
天津	0.342	IV	0.435	III	27.4
河北	0.363	IV	0.472	III	30.2
山西	0.346	IV	0.451	III	30.2
内蒙古	0.220	IV	0.254	IV	15.1
辽宁	0.314	IV	0.393	IV	25.1
吉林	0.340	IV	0.352	IV	3.4
黑龙江	0.409	III	0.386	IV	−5.7
上海	0.427	III	0.429	III	0.4
江苏	0.305	IV	0.399	IV	30.8
浙江	0.525	III	0.627	II	19.4
安徽	0.364	IV	0.461	III	26.7
福建	0.577	III	0.675	II	17.0
江西	0.447	III	0.421	III	−5.8
山东	0.311	IV	0.355	IV	14.3
河南	0.357	IV	0.505	III	41.3
湖北	0.342	IV	0.481	III	40.7
湖南	0.252	IV	0.527	III	109.0
广东	0.461	III	0.471	III	2.2
广西	0.547	III	0.506	III	−7.6
海南	0.561	III	0.472	III	−15.8
重庆	0.441	III	0.514	III	16.6
四川	0.266	IV	0.453	III	70.1
贵州	0.509	III	0.563	III	10.6
云南	0.391	IV	0.536	III	37.3
西藏	0.429	III	0.512	III	19.3
陕西	0.318	IV	0.384	IV	20.8
甘肃	0.261	IV	0.461	III	76.9
青海	0.279	IV	0.460	III	64.9
宁夏	0.450	III	0.478	III	6.4
新疆	0.255	IV	0.376	IV	47.7
全国	0.505	III	0.542	III	7.2

　　第一次到第二次全国湿地资源调查期间，湿地生态健康生物和化学指数也呈现增长趋势，而物理指数的Ⅰ级水平比例呈现降低趋势（表 3-8）。物理、生物和化学指数Ⅴ级水平比例均降低。空间上三种指数也呈现明显的空间变化。物理指数较高值主要分布在上海、广东和辽宁（表 3-9）；生物指数较高值主要分布在云南、福建、浙江、广西和贵州（表 3-10）；化学指数较高值主要分布在西藏、青海和湖南（表 3-11）。

表 3-8　中国不同省份湿地生态健康指数比例

等级	第一次调查期间			第二次调查期间		
	物理指数（%）	生物指数（%）	化学指数（%）	物理指数（%）	生物指数（%）	化学指数（%）
Ⅰ	3.2	0.0	3.2	0.0	0.0	9.7
Ⅱ	6.5	12.9	9.7	9.7	12.9	29.0
Ⅲ	54.8	32.3	25.8	41.9	48.4	41.9
Ⅳ	22.6	45.2	32.3	38.7	35.5	16.1
Ⅴ	12.9	9.7	29.0	9.7	3.2	3.2

表 3-9　第一次和第二次全国湿地资源调查期间湿地生态健康物理指数

省份	湿地生态健康物理指数			
	第一次调查期间	等级	第二次调查期间	等级
北京	0.159	Ⅴ	0.182	Ⅴ
天津	0.455	Ⅲ	0.477	Ⅲ
河北	0.500	Ⅲ	0.500	Ⅲ
山西	0.500	Ⅲ	0.477	Ⅲ
内蒙古	0.341	Ⅳ	0.341	Ⅳ
辽宁	0.614	Ⅱ	0.614	Ⅱ
吉林	0.455	Ⅲ	0.341	Ⅳ
黑龙江	0.568	Ⅲ	0.455	Ⅲ
上海	0.886	Ⅰ	0.773	Ⅱ
江苏	0.591	Ⅲ	0.591	Ⅲ
浙江	0.523	Ⅲ	0.545	Ⅲ
安徽	0.409	Ⅲ	0.409	Ⅲ
福建	0.500	Ⅲ	0.500	Ⅲ
江西	0.477	Ⅲ	0.364	Ⅳ
山东	0.591	Ⅲ	0.477	Ⅲ

（续）

省份	湿地生态健康物理指数			
	第一次调查期间	等级	第二次调查期间	等级
河南	0.432	Ⅲ	0.318	Ⅳ
湖北	0.341	Ⅳ	0.341	Ⅳ
湖南	0.364	Ⅳ	0.250	Ⅳ
广东	0.636	Ⅱ	0.523	Ⅲ
广西	0.386	Ⅳ	0.273	Ⅳ
海南	0.500	Ⅲ	0.386	Ⅳ
重庆	0.091	Ⅴ	0.182	Ⅴ
四川	0.318	Ⅳ	0.432	Ⅲ
贵州	0.318	Ⅳ	0.318	Ⅳ
云南	0.091	Ⅴ	0.091	Ⅴ
西藏	0.386	Ⅳ	0.364	Ⅳ
陕西	0.432	Ⅲ	0.318	Ⅳ
甘肃	0.523	Ⅲ	0.500	Ⅲ
青海	0.477	Ⅲ	0.477	Ⅲ
宁夏	0.523	Ⅲ	0.614	Ⅱ
新疆	0.114	Ⅴ	0.341	Ⅳ

表 3-10 第一次和第二次全国湿地资源调查期间湿地生态健康生物指数

省份	湿地生态健康生物指数			
	第一次调查期间	等级	第二次调查期间	等级
北京	0.501	Ⅲ	0.488	Ⅲ
天津	0.431	Ⅲ	0.330	Ⅳ
河北	0.455	Ⅲ	0.455	Ⅲ
山西	0.448	Ⅲ	0.448	Ⅲ
内蒙古	0.206	Ⅳ	0.219	Ⅳ
辽宁	0.378	Ⅳ	0.342	Ⅳ
吉林	0.248	Ⅳ	0.274	Ⅳ
黑龙江	0.391	Ⅳ	0.423	Ⅲ
上海	0.491	Ⅲ	0.497	Ⅲ
江苏	0.370	Ⅳ	0.439	Ⅲ
浙江	0.628	Ⅱ	0.681	Ⅱ
安徽	0.348	Ⅳ	0.474	Ⅲ
福建	0.698	Ⅱ	0.724	Ⅱ

（续）

省份	湿地生态健康生物指数			
	第一次调查期间	等级	第二次调查期间	等级
江西	0.412	Ⅲ	0.382	Ⅳ
山东	0.253	Ⅳ	0.399	Ⅳ
河南	0.322	Ⅳ	0.557	Ⅲ
湖北	0.253	Ⅳ	0.439	Ⅲ
湖南	0.285	Ⅳ	0.478	Ⅲ
广东	0.368	Ⅳ	0.414	Ⅲ
广西	0.638	Ⅱ	0.502	Ⅲ
海南	0.512	Ⅲ	0.377	Ⅳ
重庆	0.448	Ⅲ	0.532	Ⅲ
四川	0.285	Ⅳ	0.367	Ⅳ
贵州	0.538	Ⅲ	0.652	Ⅱ
云南	0.603	Ⅱ	0.752	Ⅱ
西藏	0.129	Ⅴ	0.264	Ⅳ
陕西	0.290	Ⅳ	0.353	Ⅳ
甘肃	0.256	Ⅳ	0.453	Ⅲ
青海	0.129	Ⅴ	0.229	Ⅳ
宁夏	0.447	Ⅲ	0.414	Ⅲ
新疆	0.197	Ⅴ	0.168	Ⅴ

表 3-11　第一次和第二次全国湿地资源调查期间湿地生态健康化学指数

省份	湿地生态健康物理指数			
	第一次调查期间	等级	第二次调查期间	等级
北京	0.159	Ⅴ	0.182	Ⅴ
天津	0.455	Ⅲ	0.477	Ⅲ
河北	0.500	Ⅲ	0.500	Ⅲ
山西	0.500	Ⅲ	0.477	Ⅲ
内蒙古	0.341	Ⅳ	0.341	Ⅳ
辽宁	0.614	Ⅱ	0.614	Ⅱ
吉林	0.455	Ⅲ	0.341	Ⅳ
黑龙江	0.568	Ⅲ	0.455	Ⅲ
上海	0.886	Ⅰ	0.773	Ⅱ
江苏	0.591	Ⅲ	0.591	Ⅲ
浙江	0.523	Ⅲ	0.545	Ⅲ

（续）

省份	湿地生态健康物理指数			
	第一次调查期间	等级	第二次调查期间	等级
安徽	0.409	Ⅲ	0.409	Ⅲ
福建	0.500	Ⅲ	0.500	Ⅲ
江西	0.477	Ⅲ	0.364	Ⅳ
山东	0.591	Ⅲ	0.477	Ⅲ
河南	0.432	Ⅲ	0.318	Ⅳ
湖北	0.341	Ⅳ	0.341	Ⅳ
湖南	0.364	Ⅳ	0.250	Ⅳ
广东	0.636	Ⅱ	0.523	Ⅲ
广西	0.386	Ⅳ	0.273	Ⅳ
海南	0.500	Ⅲ	0.386	Ⅳ
重庆	0.091	Ⅴ	0.182	Ⅴ
四川	0.318	Ⅳ	0.432	Ⅲ
贵州	0.318	Ⅳ	0.318	Ⅳ
云南	0.091	Ⅴ	0.091	Ⅴ
西藏	0.386	Ⅳ	0.364	Ⅳ
陕西	0.432	Ⅲ	0.318	Ⅳ
甘肃	0.523	Ⅲ	0.500	Ⅲ
青海	0.477	Ⅲ	0.477	Ⅲ
宁夏	0.523	Ⅲ	0.614	Ⅱ
新疆	0.114	Ⅴ	0.341	Ⅳ

第三节　社会经济发展与湿地保护

第一次到第二次湿地资源调查期间，我国社会经济发展与湿地保护发生了明显的变化（表3-12）。城镇化率增长了28.5%，作物产量增加了24.0%。湿地保护率增长了45.2%，增长最明显的地方集中在长江中游（湖南和湖北）、青藏高原东部和北部（甘肃和青海）、浙江和黑龙江。湿地围垦面积降低了12.0%。另外，社会经济因素与湿地保护状况也呈现明显的空间变化。城镇化率高的区域集中在东部（上海、广东、浙江和江苏）和北部（北京和天津）。作物产量较高的省份有河南、山东和黑龙江。

湿地围垦面积较大的地区集中在东北部（黑龙江、吉林和内蒙古）和东部（江苏和安徽）。湿地保护率较高的地区集中在东北部（黑龙江、吉林和辽宁）、西部（青海、西藏、新疆和四川）、湖南和浙江。

表 3-12　研究期间中国社会经济发展与湿地保护变化

类别	城镇化率 （%）	作物产量 （百万吨）	围垦面积 （千公顷）	湿地保护率 （%）
第一次调查	39.4	393.5	107.7	25.6
第二次调查	50.6	488.2	94.7	37.2
变化（%）	28.5	24.0	−12.0	45.2

第四节　中国湿地生态健康综合指数变化的驱动因素

　　第一次到第二次湿地资源调查期间，我国社会经济发展和湿地保护变化导致湿地生态健康状况发生变化。结构方程模型的置信水平和其他拟合指数显示模型结果是合适和可信的（表 3-13）。结构方程模型的分析结果如图 3-1 所示。图中矩形框表示观测变量，包括城镇化率（城镇化率的变化）、人口密度（人口密度的变化）、作物产量（作物产量的变化）、围垦（湿地转化为农田的面积变化）、退耕还湿（农田转化为湿地的面积变化）和湿地保护率（湿地保护率变化）。所有的观测变量都代表两次调查期间的绝对变化。椭圆形框中为潜在变量。湿地生态健康状况的提高与湿地保护存在显著正相关关系（路径系数为 0.39）。退耕还湿和城镇化率与湿地生态健康状况的提高存在显著正相关关系（路径系数分别为 0.13 和 0.19）。同时，退耕还湿与农业发展也呈显著正相关（路径系数为 0.58）。而人口密度、农业发展与湿地生态健康综合指数的提高呈现负相关关系（路径系数分别为−0.17 和−0.55）。因此，湿地自然保护区建立及其他保护政策的实施和城镇化显著提高了湿地生态健康状况。同时，退耕还湿和农业发展协调提升，这可能是由于农业生产效率的提高，削弱了退耕还湿对农业产出的消极影响。

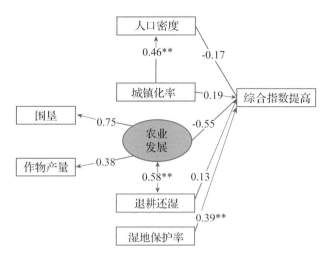

图 3-1　结构方程模型结果（Chi-square=4.6，$P=0.969$，
df=12，＊＊表示 $P<0.05$，＊表示 $P<0.1$）

表 3-13　结构方程模型的拟合优度指数值

拟合优度指数	推荐水平	评估值
X^2/df	<5.000	0.488
RMSEA	<0.050	0.000
GFI	>0.900	0.952
CFI	>0.900	1.000

第五节　评估结论

我国的湿地保护与恢复政策显著改善了湿地生态健康状况，第一次到第二次湿地资源调查期间，我国湿地生态健康综合指数提高了 7.2%，特别是在长江中游和青藏高原的东部和北部。尽管湿地保护与恢复政策在不影响农业产量的前提下，提高了湿地生态健康状况，但是湿地保护政策并没有遏制自然湿地面积的降低和生物多样性的丧失。因此，建议未来应该实施更加严格有效的湿地保护策略，包括扩大和完善湿地保护网络体系、严格遵循湿地保护红线、加强退化湿地的恢复，以及提高人们从湿地保护中获得收益，从而切实提高湿地保护意识。

第四章 国家级湿地保护地体系建设

湿地类型自然保护地的建设，是湿地生态系统及其生物多样性保护的最主要途径之一。中国自 1992 年加入《湿地公约》后，在许多湿地集中分布区设立了湿地类型自然保护区。2000 年以来，三江源自然保护区的设立，使中国湿地保护面积出现了一次飞跃。山东荣成桑沟湾国家城市湿地公园和浙江杭州西溪国家湿地公园的设立，开启了我国国家级湿地公园建设的序幕，湿地公园就此成为我国湿地自然保护地体系的重要组成部分。

近 20 年来，中国湿地保护地体系的发展经过了单一发展阶段、探索发展阶段和快速增长阶段，湿地保护地的类型、数量和面积等也都在快速增加，在四川若尔盖、东北三江平原、江西鄱阳湖、湖南洞庭湖、江苏盐城滨海湿地、山东黄河三角洲、海南东寨港等重要湿地都设立了自然保护区。国家湿地公园在东部沿海和西部地区的分布较为集中，在鲁中南、长三角、湘北—鄂东南等局部地区形成了国家湿地公园建设热点。国家级水产种质资源保护区和国家城市湿地公园的设立也成为湿地物种多样性保护和人类聚居区湿地保护的重要途径之一。本章详细探讨了中国不同类型湿地保护地的发展历程、建设现状和总体格局，结果表明近 40 年中国国家级湿地保护地体系建设稳步推进，初步形成了比较完善的湿地保护地体系，有效支撑了我国湿地的保护。

第一节　中国湿地保护地体系组成

我国的湿地保护地主要包括湿地类自然保护区、水产种质资源保护区、湿地公园、城市湿地公园等类型，见表 4-1。其中，水产种质资源保护区、湿地公园、城市湿地公园都可以归为自然公园类。海洋特别保护区、森林公园、地质公园等其他类型自然保护地也对湿地生态系统进行了保护，但这里未将其列入本章湿地保护地体系的统计范围。

表 4-1　中国湿地主要保护形式

序号	湿地主要保护形式	管理目标
1	湿地类自然保护区	保护湿地生态系统、珍稀濒危湿地野生动植物物种
2	水产种质资源保护区	保护水产种质资源及其生存环境
3	湿地公园	保护湿地景观
4	城市湿地公园	维护湿地系统，保护湿地功能和生物多样性

第二节　中国湿地保护地发展历程与建设现状

我国政府历来高度重视湿地保护工作，实施了一系列的湿地保护工程。在 1992 年加入《湿地公约》后，我国的湿地保护工作受到了前所未有的关注，陆续实施了《中国湿地保护行动计划》(2000 年)、《全国湿地保护工程规划(2004—2030 年)》、《全国湿地保护"十三五"实施规划》等众多湿地保护行动计划和工程规划。我国国家级湿地保护地体系的发展大体可以划分为三个阶段：单一湿地保护地阶段(1980—2004 年)、探索发展阶段(2005—2008 年)、快速增长阶段(2009 年之后)。单一湿地保护地发展阶段主要是国家级湿地自然保护区的建设，其经历了 20 余年的时间。21 世纪初期，进入湿地保护地体系的探索发展阶段，国家级湿地自然保护区所占比例持续下降，而国家湿地公园和国家级水产种质资源保护区数量迅速增加，逐渐超过了国家级湿地自然保护区。而后在快速发展阶段，湿地保护地以每年 100 余个的数量增长，国家级湿地保护地体系组成也发生了一定的变化，主要表现在国家湿地公园所占比例的明显增加和国家级湿地自然保护区所占比例的快速下降，见图 4-1。

全国湿地保护管理力度不断加大，全国湿地总面积稳定在 0.53 亿公顷，2019 年湿地保护率达 52.19%。截至 2020 年，我国已经建设了 736 处湿地类自然保护区(包括湿地类国家级自然保护区 131 处)、899 处国家湿地公园、57 处国家城市湿地公园、535 处国家级水产种质资源保护区等。其中，湿地类国家级自然保护区总面积约 28.33 万平方公里，国家湿地公园约 3.64 万平方公里，国家城市湿地公园约 0.13 万平方公里，国家级水

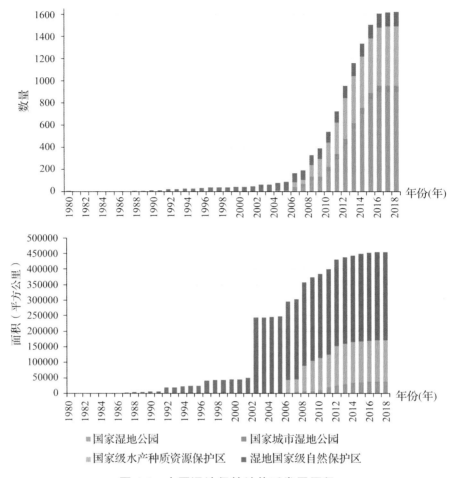

图 4-1　中国湿地保护地体系发展历程

产种质资源保护区约 13.30 万平方公里。

到 2020 年年初，我国的国际重要湿地数量已经达到 64 处。2020 年 2 月 3 日指定天津北大港、河南民权黄河故道、内蒙古毕拉河、黑龙江哈东沿江、甘肃黄河首曲、西藏扎日南木错、江西鄱阳湖南矶共 7 处湿地为国际重要湿地。2019 年北京房山长沟泉水等 158 处试点建设的国家湿地公园通过验收，正式成为"国家湿地公园"；2020 年 12 月河北隆化伊逊河国家湿地公园等 80 处试点建设的国家湿地公园通过验收，正式成为"国家湿地公园"，而且江苏省盐城市的中国黄（渤）海候鸟栖息地（第一期）被联合国教科文组织列入世界遗产名录。

第三节 中国湿地保护地总体格局

我国湿地保护地建设的地理格局差异明显，整体上以长江流域中下游为中心区域，见图4-2。其中，我国湿地保护地建设密度较高区域覆盖的省份主要有湖南、湖北、江苏、浙江、上海、安徽、江西、山东、河南、贵州和陕西等地。在长江中下游围绕武汉、长沙和杭州形成了三个高密度建设热点区域，见图4-3。同时，国家级湿地保护地建设格局与中国人口

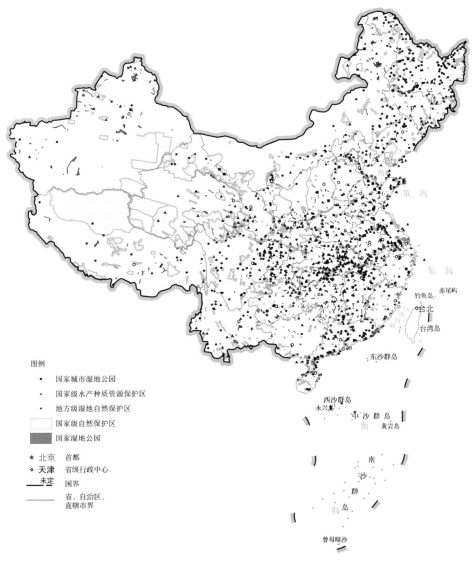

图例
· 国家城市湿地公园
▲ 国家级水产种质资源保护区
· 地方级湿地自然保护区
□ 国家级自然保护区
■ 国家湿地公园

★ 北京　首都
◎ 天津　省级行政中心
—— 未定　国界
—— 　　省、自治区、直辖市界

图 4-2　中国湿地保护地的建设现状

注：台湾省资料暂缺。

密度的胡焕庸线高度一致，成为湿地保护地建设格局的分割线。此外，不同类型湿地保护地的建设布局有很大的差异。

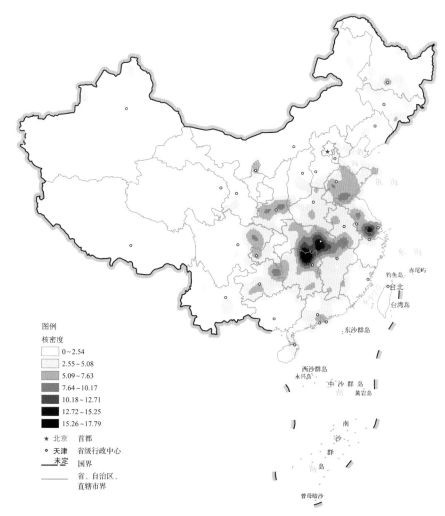

图 4-3　中国国家级湿地保护地体系的总体格局

注：台湾省资料暂缺。

第四节　中国主要湿地保护地体系的建设

一、湿地自然保护区建设及分布格局

（一）湿地自然保护区级别组成

我国已经建设了 736 处湿地自然保护区，国家级湿地自然保护区的数量也已经达到了 128 处。但省级、市级和县级等地方级别湿地自然保护区数量要更多一些，占总数量的 80% 以上，见表 4-2。其中，省级湿地自然保护区数量最多，其次为县级、市级和国家级。而对面积而言，国家级湿地自然保护区最大，所占比例最高，为 64.28%。此外，不同级别湿地自然保护区的平均面积差别也很大，国家级湿地自然保护区的平均面积显著高于地方级别湿地自然保护区。

表 4-2　湿地自然保护区级别组成

级别	数量(个)	面积(平方公里)	平均面积(平方公里)
国家级	128	282238.54	2204.99
省级	265	107975.35	407.45
市级	128	17097.79	133.58
县级	215	31757.96	147.71
合计	736	439069.64	596.56

注：湿地自然保护区数据截至 2017 年底(下同)。

(二)主要保护湿地类型

我国实行的自然保护区分类体系与湿地分类之间有很大的差别，一般将湿地自然保护区定义为内陆湿地与水域类型自然保护区。按照我国现行的湿地分类标准，对已建湿地自然保护区进行重新归类，见表 4-3。所有湿地自然保护区中，河流型自然保护区数量最多，占到了总数量的 45.65%；其次为湖泊和海洋海岸型自然保护区，均占总数的 20% 以上；但沼泽型自然保护区面积最大，占总面积的 44.24%。而对国家级湿地自然保护区而言，河流、湖泊、沼泽和海洋海岸型自然保护区的数量较为接近，其中内陆湿地自然保护区数量仍然最多。此外，没有人工湿地型的国家级湿地自然保护区，而沼泽型国家级湿地自然保护区面积占比进一步提高，占到国家级湿地自然保护区总面积的 60% 以上。

表 4-3　湿地自然保护区类型组成

类型	国家级自然保护区		地方级自然保护区	
	数量(个)	面积(平方公里)	数量(个)	面积(平方公里)
河流	44	28195.03	292	56649.49
湖泊	30	63227.45	122	35327.41
沼泽	21	173109.77	34	21146.27

（续）

类型	国家级自然保护区		地方级自然保护区	
	数量（个）	面积（平方公里）	数量（个）	面积（平方公里）
海洋海岸	33	17706.29	115	34672.91
库塘（人工湿地）	0	0	45	9035.02
合计	128	282238.54	608	156831.1

（三）湿地自然保护区规模组成

我国大部分的湿地自然保护区建设面积小于 300 平方公里，占总数的 76.22%，见表 4-4。甚至这些保护区包括了 313 个小型自然保护区，占到总数量的 40% 以上，以地方级自然保护区为主。但是这些中小型自然保护区总面积不足所有湿地自然保护区面积的 10%。而大型以上自然保护区建设数量较少，不足总数量的四分之一。目前我国湿地自然保护区的建设规模普遍偏小。而对国家级湿地自然保护区而言，单个自然保护区的建设规模普遍提高，大型以上自然保护区占到了其总数的 56.25%。此外，30 个超大型和特大型国家级湿地自然保护区覆盖了我国国家级湿地自然保护区总面积的 90% 以上。

表 4-4　湿地自然保护区规模组成

规模	国家级自然保护区		地方级自然保护区	
	数量（个）	面积（平方公里）	数量（个）	面积（平方公里）
超大型（≥10000 平方公里）	2	172623.80	2	34997.96
特大型（1000~10000 平方公里）	28	82070.96	22	46017.77
大型（300~1000 平方公里）	42	21553.69	79	43121.28
中型（50~300 平方公里）	35	5477.35	213	28023.02
小型（≤50 平方公里）	21	512.75	292	4671.06
合计	128	282238.55	608	156831.09

（四）不同省份的湿地自然保护区分布

我国不同省份湿地自然保护区的建设数量和面积具有较大的差异，见图 4-4。我国各省份湿地自然保护区建设数量的差异主要由各省份地方级湿地自然保护区建设引起。我国很多省份国家级湿地自然保护区的数量差别不大，多集中在 2~5 处。只有黑龙江、吉林、内蒙古等少数省份的国家级湿地自然保护区数量较多，其中黑龙江高达 24 处，显著高于其他省份。我国湿地自然保护区建设数量较多的省份主要位于中国的东北地区、长江流域和东部沿海地区。

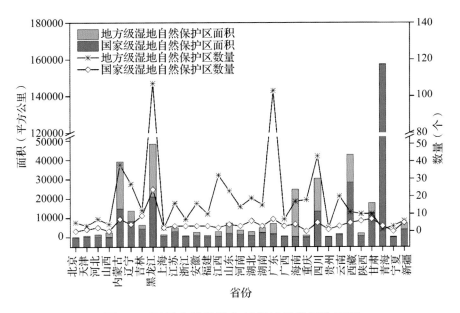

图 4-4　不同省份湿地自然保护区数量和面积

但是我国西部省份的湿地自然保护区建设面积要显著高于其他地区，如青海、西藏、内蒙古和四川等，见图 4-4。其中，青海的湿地自然保护区建设面积最大，占到了全国总面积的 35.87%。而很多省份因为面积较小或湿地率较低等原因，湿地自然保护区覆盖面积较小，如天津、贵州、重庆等。此外，海南的湿地自然保护区总体面积较大，主要是在南海建有西南中沙群岛省级自然保护区，面积高达 2.4 万平方公里。

（五）湿地自然保护区的地理空间分布特征

我国湿地自然保护区和国家级湿地自然保护区在地理空间上具有明显的聚集分布特征，在局部地区高度集中分布。我国湿地自然保护区的聚集度指数为 0.5163，超过了 0.30，地理空间分布极不均衡；国家级湿地自然保护区的聚集度指数为 0.6342，聚集度更高。但是不同地区的湿地自然保护区地理空间分布特征差异明显。其中，我国西部地区地理聚集度指数最高，而在中部地区分布更加分散，见表 4-5。

通过核密度分析更加直观反映了我国湿地自然保护区集中建设的特征，其主要分布在黑河—腾冲线以东的中东部地区。这些湿地自然保护区在东北平原、长江中下游流域和东南沿海地区形成了集中连片的高密度分布区域，其中很多地区人口密度高，人为干扰强烈。并在三江平原、鄱阳湖和广东沿海形成高密度建设热点区域，见图 4-5。但是国家级湿地自然保护区仅在局部集中，并未形成大范围连片的高密度区域。其高密度建设热点区域包括三江平原、小兴安岭、洞庭湖、秦岭西段和雷州半岛等地，见图 4-6。

表 4-5　不同地区聚集度指数

类别	东部地区	中部地区	西部地区	全国
湿地自然保护区	0.3553	0.1192	0.4958	0.5163
国家级湿地自然保护区	0.4227	0.2894	0.6072	0.6342

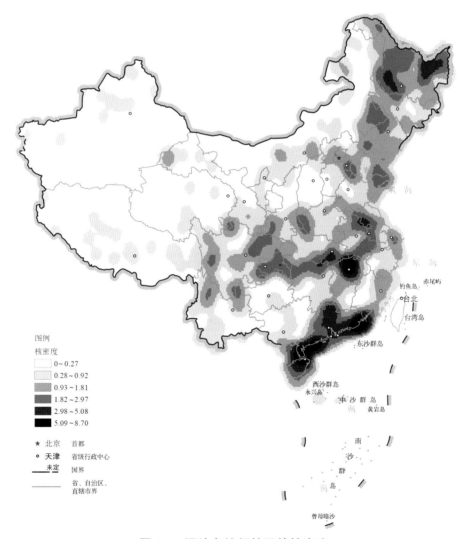

图 4-5　湿地自然保护区的核密度

注：台湾省资料暂缺。

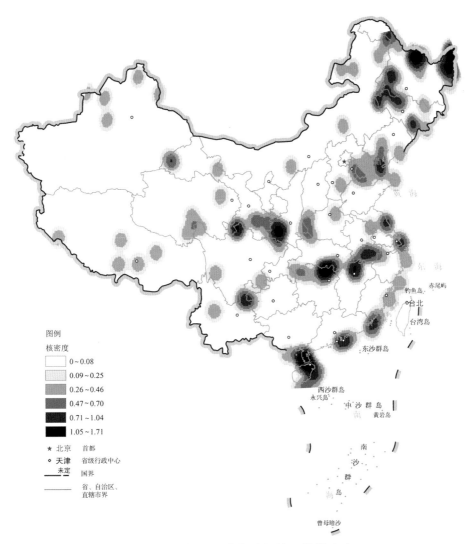

图 4-6　国家级湿地自然保护区的核密度

注：台湾省资料暂缺。

二、国家湿地公园建设及分布格局

(一)主要保护湿地类型

国家湿地公园已经成为中国湿地保护体系的重要组成部分，其建设对湖泊湿地、河流湿地、沼泽湿地、近海与海岸湿地等自然湿地，以及水库和农耕湿地等人工湿地均进行了广泛保护和管理，见表 4-6。其中，已建国家湿地公园网络以河流和湖泊为主要保护湿地类型，河流和湖泊型国家湿地公园在数量和面积上均占优势，面积占比在 79% 以上。同时，水库型国家湿地公园数量较多，而以沼泽湿地、近海与海岸湿地和农耕湿地等为主要保护对象的国家湿地公园较少，见表 4-6。

表 4-6　不同类型的国家湿地公园组成

类型	通过验收		试点		全部	
	数量（个）	总面积（平方公里）	数量（个）	总面积（平方公里）	数量（个）	总面积（平方公里）
湖泊型	77	8494.15	103	3595.46	180	12089.61
河流型	113	5330.20	419	13275.44	532	18605.64
沼泽型	5	241.20	8	349.73	13	590.93
近海与海岸型	6	134.86	14	347.33	20	482.19
水库型	45	1745.07	101	2661.07	146	4406.14
农耕型	2	141.62	5	106.76	7	248.38
合计	248	16087.10	650	20335.79	898	36422.89

注：国家湿地公园数据截至 2017 年底（下同）。

（二）建设规模

在我国，单个国家湿地公园的面积普遍不足 50 平方公里，大型国家湿地公园较少，见表 4-7。在已建国家湿地公园中，面积小于 10 平方公里的微型和小型国家湿地公园的数量高达 341 个，占其总数量的 37.97%，但是其面积却仅占所有国家湿地公园的 5.31% 左右。虽然面积超过 300 平方公里的特大型国家湿地公园数量较少，仅占其总数量的 1.78% 左右，但是其覆盖的国土面积占国家湿地公园总面积的 35% 左右。而在通过验收的国家湿地公园中，大中型湿地公园所占比例在 70% 左右，要明显高于国家湿地公园试点。在通过验收的国家湿地公园中，特大型湿地公园仅有 10 处，但其面积占已验收国家湿地公园总面积的一半以上。这可能也导致了通过验收的国家湿地公园的平均建设规模要显著高于国家湿地公园试点，平均面积在其 2 倍以上。

表 4-7　国家湿地公园规模组成

规模	通过验收		试点		全部	
	数量（个）	总面积（平方公里）	数量（个）	总面积（平方公里）	数量（个）	总面积（平方公里）
特大型（≥300 平方公里）	10	8780.6	6	3923.51	16	12704.11
大型（50~300 平方公里）	36	4039.76	79	8134.27	115	12174.03
中型（10~50 平方公里）	127	2871.39	299	6740.44	426	9611.83

（续）

规模	通过验收		试点		全部	
	数量（个）	总面积（平方公里）	数量（个）	总面积（平方公里）	数量（个）	总面积（平方公里）
小型（3～10平方公里）	57	359.31	230	1457.18	287	1816.49
微型（≤3平方公里）	18	36.04	36	80.39	54	116.43
合计	248	16087.1	650	20335.79	898	36422.89

（三）各省份的国家湿地公园建设现状

截至 2017 年年底，我国各省份（香港、澳门和台湾地区除外）国家湿地公园在建设数量和面积上均有很大的差异，见图 4-7。其中，国家湿地公园建设数量最多的省份依次为湖南、山东、湖北、黑龙江和新疆 5 省（自治区），其数量均超过了 55 个，同时其也是湿地公园建设面积较大的省份，这些省份主要分布在华中、东北、华东和西北等地。而北京、天津和上海等直辖市国土面积较小，湿地面积有限，国家湿地公园建设数量极少。但从全国来看，海南、福建和浙江等东部沿海省份国家湿地公园的建设数量和面积均低于全国平均水平，其数量多在 20 个以下，面积不足 500平方公里。我国中部省份在国家湿地公园建设数量上占据优势，而西部省份在国家湿地公园建设面积上占据优势。而对通过验收的国家湿地公园而言，到 2017 年其数量超过 15 个的省份从多到少依次为湖北、山东、湖

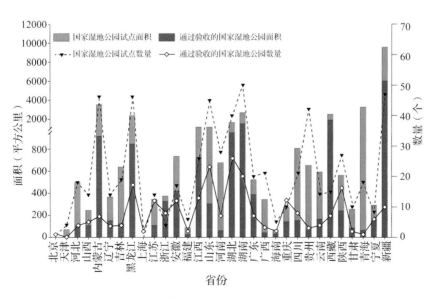

图 4-7 各省份国家湿地公园建设数量和面积

南、黑龙江、陕西，主要位于我国的中部地区。

(四)国家湿地公园的地理分布特征

截至 2017 年年底，不同经济发展程度区域的国家湿地公园空间分布格局具有很大的差异，见图 4-8 和表 4-8。国家湿地公园建设密度从高到低依次为中部地区(2.06 个/万平方公里)、东部地区(1.84 个/万平方公里)和西部地区(0.52 个/万平方公里)，其中西部地区显著低于其他两个地区，见表 4-8。但是西部地区国家湿地公园覆盖比例却并不低，与东部地区持平，均为 0.33%，但仍然是中部地区国家湿地公园覆盖比例最高，

图 4-8　国家湿地公园分布

注：台湾省资料暂缺。

表 4-8　不同地区的国家湿地公园建设密度和覆盖比例

地区	通过验收		试点		全部	
	建设密度（个/万平方公里）	覆盖比例（%）	建设密度（个/万平方公里）	覆盖比例（%）	建设密度（个/万平方公里）	覆盖比例（%）
东部地区	0.61	0.14	1.23	0.19	1.84	0.33
中部地区	0.62	0.28	1.44	0.33	2.06	0.61
西部地区	0.11	0.14	0.40	0.19	0.52	0.33

为 0.61%。而对通过验收的国家湿地公园而言，东部地区的建设密度最高，达到了 0.61 个/万平方公里，西部地区建设密度仍然最低。但中部地区国家湿地公园覆盖比例最高，达到了 0.28%，而东部地区和西部地区均为 0.14%。我国西部地区的国家湿地公园建设相对滞后于其他两个地区。

东部沿海和西部地区国家湿地公园空间分布较为集中，如东部沿海国家湿地公园主要集中分布在山东和长江三角洲；中部地区国家湿地公园分布较为分散，仅在黑龙江和吉林集中程度较高。而通过验收的国家湿地公园具有相似的空间分布特征，只是更加倾向聚集分布于长江和黄河流域。

我国国家湿地公园建设在地理空间上具有一定的聚集分布特征，聚集程度高。我国国家湿地公园的聚集度指数为 0.31，超过了 0.30，其在地理空间上呈聚集分布；而通过验收的国家湿地公园空间分布的聚集度指数则更高，达 0.48，其聚集程度更高，空间分布极不均衡。核密度分析表明，我国国家湿地公园建设的高密度热点区域为鲁中南、长三角、湘北—鄂东南、关中平原、宁夏北部、湘西—黔东北等地，见图 4-9。并在大兴安岭北段、黑龙江南部、吉林东部和辽宁中北部，河南、安徽、江西、湖北、湖南、贵州、重庆和四川东部形成了大面积片状的较高密度国家湿地公园建设热点区域。此外，在新疆伊犁河谷、珠三角等地也有较分散的国家湿地公园建设高密度热点区域。而对通过验收的国家湿地公园而言，其建设相对比较分散，并未形成大面积的高密度分布区域，仅在少数几个区域较为集中，如长三角、鲁中、鲁南、鄂东、湘东北和关中平原等地。国家湿地公园和通过验收的国家湿地公园在地理空间分布上不一致，但其高密度热点区域存在一定相似性。而在我国的滨海湿地、云贵高原湿地、西

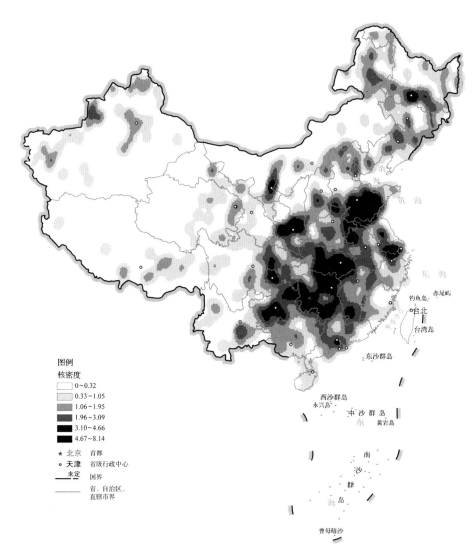

图 4-9　国家湿地公园核密度

注：台湾省资料暂缺。

北干旱和半干旱湿地、青藏高原高寒湿地区域的国家湿地公园数量较少，湿地资源也较为丰富，可能成为未来国家湿地公园建设布局的重点。

（五）发展历程及动态

湿地公园作为比较新的自然保护地形式，在中国已经经历了 10 余年的发展历程，见图 4-10。虽然国家湿地公园建设起步较晚，到 2007 年其试点数量才达到 18 个。但之后，国家湿地公园建设在全国铺开，逐渐进入了稳定建设期。2008—2010 年，国家湿地公园试点以每年 26 个左右的数量递增，试点范围涉及 28 个省份。而"十二五"期间，国家林业局陆续编制并实施了《全国湿地保护工程实施规划(2011—2015年)》《国家湿地公园管理办法(试行)》等文件，进一步促进了国家湿地公园的建设。并在2011年，浙江杭州西溪等12处国家湿地公园试点通过验收，成为第一批正式国家湿地公园，也推动了国家湿地公园建设。而在2011—2017年，我国国家湿地公园试点以每年平均120余个的数量快速增加，通过验收的国家湿地公园也以每年平均20余个的数量增加，处于快速建设期，并在局部区域高密度建设。中国国家湿地公园的发展可以划分为三个时期，即探索建设期(2005—2007年)、稳定建设期(2008—2010年)和快速建设期(2011—2017年)。

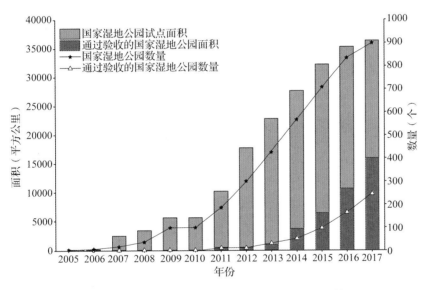

图4-10　国家湿地公园的数量和面积增长趋势

三、国家城市湿地公园建设及分布格局

(一)主要保护湿地类型

截至2017年年底，我国国家城市湿地公园仅有57个，但是其基本涵盖了湖泊、河流、沼泽、近海与海岸等自然湿地，以及水库、农田等人工湿地，见表4-9。其中，已建的国家城市湿地公园中河流湿地类型湿地公园最多，占其数量的43.86%以上。而目前鲜有以沼泽为主要湿地类型的国家城市湿地公园，这与城镇选址以及发展等有必然关系。此外，以人工湿地作为主要湿地类型的国家城市湿地公园也占有很高的比重，高达33.33%，且多以水库和塌陷坑等为主要湿地类型。但这些人工湿地多以

表 4-9　国家城市湿地公园主要湿地类型

湿地类型	数量(个)	数量占比(%)	备注
湖泊	8	14.04	
河流	25	43.86	
沼泽	1	1.75	蓄滞洪区
近海与海岸	4	7.02	包括海岸河口
人工湿地	19	33.33	
合计	57	100.00	

湖泊形式进行命名，如河南省平顶山市平西湖城市湿地公园、唐山市南湖国家城市湿地公园和辽宁省铁岭市莲花湖城市湿地公园等。

（二）主要分布城镇级别

国家城市湿地公园在地级市、区县和乡镇等不同级别城镇内均有建设，见表 4-10。其中，大部分国家城市湿地公园位于地级市，其数量约占国家城市湿地公园总数的 64.92%。但是这些城市湿地公园主要位于中国的三线和四线城市，其数量占到了国家城市湿地公园的 45% 左右，而在一、二线城市其数量较少。截至 2017 年，在中国一线城市中，仅有北京、武汉、南京、东莞和成都建有国家城市湿地公园；而二线城市则更少，仅有唐山、无锡、哈尔滨、厦门和嘉兴 5 市。同时，在县级市(县城)也建设了较多的国家城市湿地公园，其数量占到了总数的近 30%。此外，个别国家城市湿地公园位于乡镇和郊野地区，如：常德市西洞庭湖青山湖、浙江省临海市三江和贵州省安顺市黄果树城市湿地公园。位于县级市和乡镇的国家城市湿地公园以河流湿地类型为主，而人工湿地类型城市湿地公园多位于地级市。

表 4-10　国家城市湿地公园主要分布城镇级别

所在城镇类型	数量(个)	数量占比(%)	备注
一线城市	6	10.53	地级市
二线城市	5	8.77	地级市
三线城市	15	26.32	地级市
四线及以下城市	11	19.30	地级市
县级市(县城)	17	29.82	多为河流湿地类型

(续)

所在城镇类型	数量(个)	数量占比(%)	备注
乡镇	2	3.51	均属河流湿地类型
郊野	1	1.75	属湖泊湿地类型
合计	57	100.00	

注：国家城市湿地公园数据截至2017年年底(下同)。

(三)各省份国家城市湿地公园建设现状

国家城市湿地公园建设工作主要涉及华北、东北和华东等地区，见图4-11。其中，华东地区是我国国家城市湿地公园数量最多的地区，其数量达到27个，占总数的近一半。而华北、东北、华中、华南、西南和西北地区的国家城市湿地公园建设相对分散且数量较少，一般在3~6个。中国各省份国家城市湿地公园的建设数量普遍低于2个，甚至尚无国家城市湿地公园，仅山东、江苏和浙江等东部沿海省份其建设数量较多。此外，这些国家城市湿地公园的面积较小，普遍低于1000公顷，特别是近几年新建的城市湿地公园。

(四)国家城市湿地公园的地理分布特征

我国国家城市湿地公园主要位于东部沿海地区，其数量达到了30个，占总数的50%以上。而在面积广阔的西部地区，国家城市湿地公园数量最

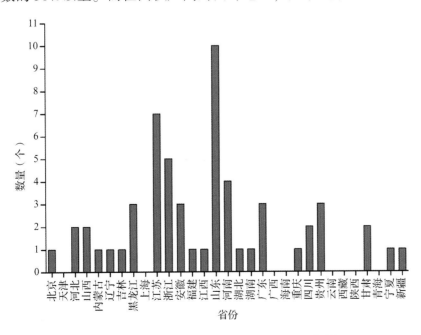

图4-11　各省份国家城市湿地公园建设数量

少，只有 11 个，经济发展程度对城市湿地公园的建设有一定的影响。我国国家城市湿地公园在地理空间上具有明显的聚集分布特征，呈高度聚集状态。国家城市湿地公园的聚集度指数为 0.59，超过了 0.30，其在地理空间上呈聚集分布，空间分布极不均衡。而核密度分析表明，我国国家城市湿地公园建设的高密度热点区域为长三角城市群和山东半岛城市群地区，并在中东部地区零星分布，且更倾向于经济发展较好的地区。我国的东南沿海、长江中游城市群、成渝城市群和哈长城市群等地区国家城市湿地公园建设数量较少，没有形成规模。

（五）建设历程及趋势

2004 年，国家建设部批准了我国第一个国家城市湿地公园，即山东荣成市桑沟湾城市湿地公园。提出了坚持"全面保护、生态优先、突出重点、合理利用、持续发展"的方针，保护湿地功能及其生物多样性，确保湿地资源的可持续利用。自此之后，我国国家城市湿地公园的数量和面积不断增加，但其增长速度相对缓慢，见图 4-12。2005 年，国家建设部陆续印发了《国家城市湿地公园管理办法(试行)》《城市湿地公园规划设计导则(试行)》，规范国家城市湿地公园的申请、设立、保护管理以及规划设计工作，为其建设提供了依据。

近 10 余年，我国国家城市湿地公园已经公布了 12 个批次，但其建设一直处于探索发展阶段，以每年约 4 个的建设速度增加。在 2009 年之前，国家城市湿地公园数量增长更快一些，平均每年增加约 9 个，但主要集中在华北和华东地区；之后其建设速度保持在平均每年 2.5 个，华中和西南

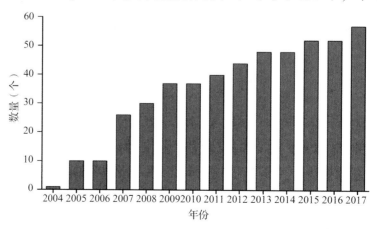

图 4-12　国家城市湿地公园的数量增长趋势

地区显著增加。国家城市湿地公园已经开始由东部地区逐渐向中西部城市发展扩张，并在主要城市群形成高密度分布区。2017 年，住房和城乡建设部又印发《城市湿地公园管理办法》和《城市湿地公园设计导则》，强调城市湿地应纳入城市绿线范围，全面加强其保护和修复，并规范城市湿地公园设计工作。这为我国城市湿地公园的建设发展提供了新的契机，进一步推动国家城市湿地公园建设发展。

四、国家级水产种质资源保护区建设及分布格局

我国已经设立国家级水产种质资源保护区 492 处（截至 2016 年年底），覆盖了重要水产种质资源的产卵场、越冬场和洄游通道等 13 万平方公里以上的关键区域，初步构建了包括各类湿地生境的水产种质资源保护区网络。水产种质资源保护区建设已经成为就地保护鱼类、底栖动物和虾蟹类等水生生物资源及其生境最重要的方式，同时成为湿地及其生物多样性保护的重要措施之一。

我国各类型国家级水产种质资源保护区建设比例并不协调，更侧重于对河流和淡水湖泊水产种质资源的保护，其数量占比很高。虽然与 2011 年相比，近海与海岸类型水产种质资源保护区数量有了明显增加，但所占比例仍偏少，不到 10%。而中国海洋水域面积广阔，拥有众多重要水产资源产卵场、溯河和降海鱼类通道等，生境保护价值高。同时，已建国家级水产种质资源保护区网络仍然以鱼类保护为重点，缺少对两栖动物、爬行动物和水生植物等的关注，见表 4-11。此外，已建国家级水产种质资源保护区面积普遍偏小，以小型保护区为主，不利于水产种质资源的保护管理。

我国国家级水产种质资源保护区地理分布不均衡，呈高度聚集分布格局，聚集度指数为 0.72。国家级水产种质资源保护区的建设在湘北—鄂东南—皖赣边界、苏南—浙北、川东和山东沿海等地高度聚集，形成高密度热点区域。但是东部沿海和西部特大型水产种质资源保护区的建设对中国水产种质资源保护区的总面积贡献比例极大，特别是西部地区呈数量少面积大的地理格局。个别国家级水产种质资源保护区划定的面积范围过大，对保护区的有效管理等带来了困难。我国山西、辽宁、重庆、西藏和宁夏等中西部省份，以及北京和天津的国家级水产种质资源保护区建设偏弱，见图 4-13 和图 4-14。同时长江流域、黄河流域、淮河流域和黑龙江流域

等流域国家级水产种质资源保护区建设较多，但多集中在其中下游区域。

表 4-11　国家级水产种质资源保护区主要保护对象类型组成

主要保护对象类型	数量(个)	数量占比(%)	面积(平方公里)	面积占比(%)
底栖动物	38	7.72	1314.06	1.00
爬行动物	12	2.44	500.04	0.38
两栖动物	5	1.02	72.24	0.05
淡水虾类	12	2.44	214.74	0.16
海虾类	4	0.81	1066	0.81
蟹类	6	1.22	305.51	0.23
淡水鱼类	397	80.69	78901.46	59.86
海鱼类	16	3.25	49412.76	37.49
水生植物	2	0.41	14.72	0.01
合计	492	100.00	131801.53	100.00

注：国家级水产种质资源保护区数据截至 2016 年年底(下同)。

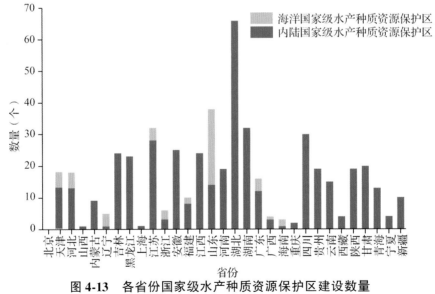

图 4-13　各省份国家级水产种质资源保护区建设数量

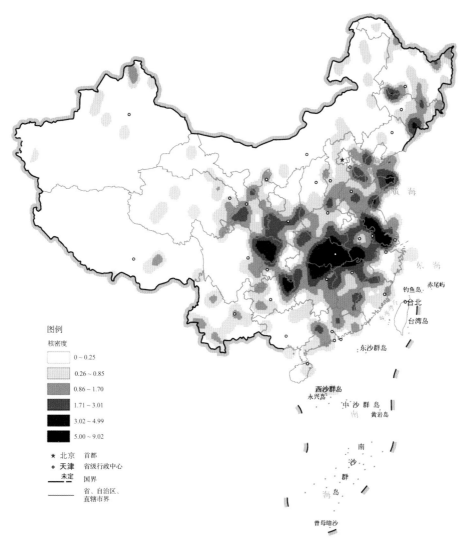

图 4-14　国家级水产种质资源保护区核密度

注：台湾省资料暂缺。

第五节　问题和建议

　　目前，我国已经建立了大量的湿地类型的自然保护地，并逐渐形成了多个体系并存但缺少协调的局面。很多地方对湿地保护管理体系之间关系的理解不清晰，甚至存在混淆，不利于湿地保护地体系的完善。多部门管理但是缺少统一的协调机制已经限制了湿地保护体系有效性的提高，造成了一些地区仍然存在保护空缺，保护不足，出现了"湿地保护地体系保护空缺与过度保护问题共存"的情况。建立统一的管理体制和机制，有助于进一步提升湿地保护地体系的有效性。以"山水林田湖草生命共同体"为建设理念，改革以部门设置、以资源分类、以行政区划分设的体制，减少各类自然保护地的交叉重叠，特别是功能定位交叉等问题。

建议以国家公园体制建设为契机，加快湿地保护地体系的整合优化，准确定位各类湿地保护地的保护、科普和休闲功能，有效引导其建设管理，由数量增长向质量提升转变，推进其高质量建设布局。开展"自上而下"的以湿地保护地体系建设布局探索，在条件成熟的湿地保护地集中分布区优先开展湿地保护网络、国家公园的建设试点。开展以湿地保护地建设的高密度热点区域为核心的湿地保护体系优化布局，结合湿地保护地开展水鸟生态廊道布局建设，构建湿地保护网络。关注湿地类型和空间布局的建设空缺，在湿地受威胁程度较高但保护薄弱的滨海区、云贵高原、西北干旱和半干旱等地区优化湿地保护地建设布局。同时，通过法律法规或政府文件的形式，加强不同保护体系之间的协调。应该确定湿地保护重叠区域的管理优先权等问题，进一步加强不同类型湿地保护区域及其主管部门之间的协调。

第五章 滨海湿地分布特征与服务价值评估

　　滨海湿地是陆地生态系统和海洋生态系统的交错过渡地带，具有特殊的植被、水文和土壤特征，是生物多样性极其丰富的地区。滨海湿地生态系统在生物多样性维持、气候调节、减缓风暴潮和台风等方面发挥着重要的作用。我国滨海湿地可以划分为浅海水域、淤泥质海滩、潮间盐水沼泽、红树林、河口水域、河口三角洲等 12 个类型。据 2014 年第二次全国湿地资源调查，我国滨海湿地总面积达 579.60 万公顷，约占我国自然湿地面积的 12.42%。近年来，随着我国对地观测技术的快速发展，特别是高分辨率遥感卫星投入使用后，为分析全国滨海湿地分布状况提供了良好的条件。

　　本报告采用与全国第二次湿地资源调查相同的滨海湿地分类，利用覆盖中国滨海地区的高分辨率遥感影像，结合滨海湿地定位观测研究站的观测数据，开展了滨海湿地空间分布遥感解译，获得了中国滨海湿地的空间分布数据，根据不同时期滨海湿地分布的数据成果，分析了近年来我国滨海湿地的变化情况。为进一步认识滨海湿地生态系统服务价值，本报告以辽宁省典型滨海湿地为研究对象，利用直接外推法评价辽宁滨海湿地生态系统服务价值，其总价值为 2526.35 亿元/年。以 2 米高分辨率遥感影像解译的我国滨海湿地范围为基础，对我国滨海湿地生态系统服务价值进行评价。我国滨海湿地生态系统服务价值巨大，为 19284.22 亿元/年。

第一节　中国滨海湿地空间分布及变化

　　我国有超过 18000 公里的海岸线，形成了丰富的滨海湿地资源，这些滨海湿地提供着重要的生态系统服务。滨海湿地空间分布和数量状况的获取和分析，对深入了解我国滨海湿地资源状况以及开展滨海湿地保护至关重要。随着我国对地观测技术的飞速发展，特别是高分辨率对地观测专项以及测绘卫星的陆续投入使用，形成了覆盖沿海地区的高分辨率遥感影像，为分析全国滨海湿地分布状况创造了条件，对研究我国滨海湿地的空间分布现状、变迁，以及生态系统服务功能等具有重要意义。

一、滨海湿地空间分布研究技术框架与方法

(一)技术框架

在准确界定滨海湿地空间边界基础上，收集中国滨海湿地高分辨率遥感影像数据。参考已有滨海湿地分类，建立我国滨海湿地遥感研究的分类体系，开展遥感影像处理、遥感解译与信息提取。并利用野外调查样点数据开展精度校核与数据优化，得到全国滨海湿地空间分布成果数据。在此基础上，结合第二次湿地资源调查数据成果，开展两个时期中国滨海湿地生态系统格局定量统计与空间分析，研究滨海湿地变化状况、类型转移情况、主要变化驱动力分析，形成我国滨海湿地空间分布变化结果及研究结论，为我国滨海湿地保护提供支撑(图5-1)。

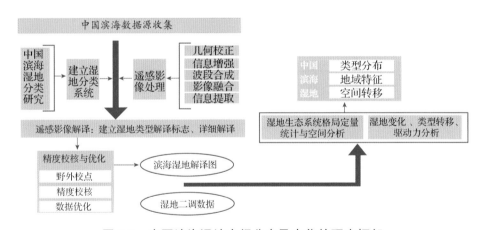

图5-1 中国滨海湿地空间分布及变化的研究框架

湿地大尺度遥感解译是湿地遥感研究的一个难点问题，主要体现在湿地生态系统结构复杂、同物异谱与异物同谱、湿地外业调查耗时费力，一般采用中低分辨率影像解译精度不易提高。为提升我国滨海湿地遥感研究的精度与可靠性，采取了基于先验知识建模的高分辨率影像湿地解译方法，从客观信息来源及权威先验知识等方面全面提升滨海湿地解译精度。

(1)首次采用全覆盖的优于2米高分辨率遥感影像进行我国滨海湿地

解译，提升滨海湿地判读水平及解译精度。

（2）采用第二次湿地资源调查成果数据作为先验约束，提升滨海湿地遥感解译的可靠性。

（3）采用大尺度外业调查样点数据作结果校核，全面提升中国大尺度滨海湿地遥感研究的精确性和可靠性。

（二）数据来源

收集了 2017 年 1 月至 10 月间的中国滨海湿地全覆盖高分辨率遥感影像，包括高分 2 号影像 265 景（融合影像 0.8 米分辨率），北京 2 号卫星影像 261 景（融合影像 0.8 米分辨率），高分 1 号卫星影像 43 景（融合影像 2.0 米分辨率），资源三号卫星影像 98 景（融合影像 2.1 米分辨率），高景 1 号卫星影像 127 景（融合影像 0.5 米分辨率），KM-2 卫星影像 58 景（融合影像 0.5 米分辨率）。

收集了 2017 年滨海地区野外调查样点数据，为滨海湿地类型判读及精度优化提供信息参考。调查样点共收集 643 个野外样点，随机覆盖我国沿海地区 11 个省份。

二、中国滨海湿地分类体系

结合我国滨海湿地分布特点以及高分辨率遥感解译技术特点，构建了我国滨海湿地分类体系，为滨海湿地遥感分析提供基础。为保证大尺度研究结果的权威性及可参考性，本报告参照第二次湿地资源调查数据标准及分类体系，开展了我国滨海湿地空间分布及变化研究。

三、中国滨海湿地空间分布及时空变化

（一）中国滨海湿地空间分布

遥感解译表明，我国滨海湿地总面积 548.35 万公顷，其中江苏滨海湿地面积最大，其次分别为辽宁、广东和山东，4 个省份的滨海湿地面积约占全部滨海湿地面积的 58%。从湿地类型来看，浅海水域、淤泥质滩涂和河口水域面积最大，三类湿地面积占滨海湿地总面积的 91.6%，红树林湿地仅占总面积的 0.5%（图 5-2、图 5-3）。

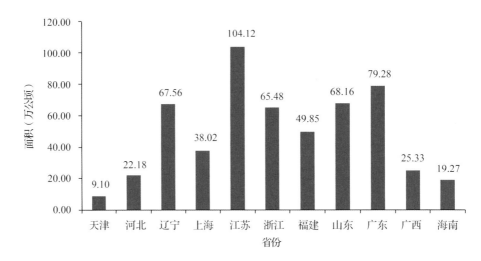

图 5-2　2017 年中国滨海湿地面积分省份统计

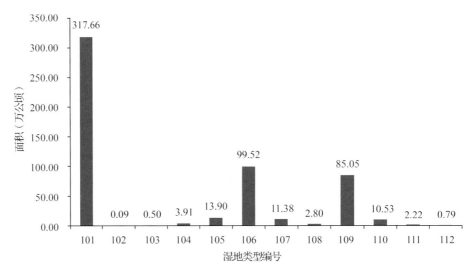

图 5-3　2017 年中国滨海湿地面积分类统计

注：湿地类型编码，参见表 **5-1**。

(二)中国滨海湿地时空变化

以第二次湿地资源调查数据为参考，进行我国滨海湿地时空变化统计分析，得到我国滨海湿地时空变化分析结果。

(1)中国滨海湿地面积变化分析。近年来中国滨海湿地中近海水域、河口水域、砂石海滩、三角洲/沙洲/沙岛面积减少，滩涂湿地面积略有增加(表 5-1)。

表 5-1 中国滨海湿地类型及其面积变化分析

编码	类型	2013 年 (万公顷)	2017 年 (万公顷)
101	浅海水域	343.20	317.66
102	潮下水生层	0.12	0.09
103	珊瑚礁	0.61	0.50
104	岩石海岸	4.55	3.91
105	沙石海滩	18.77	13.90
106	淤泥质海滩	94.90	99.52
107	潮间盐水沼泽	10.18	11.38
108	红树林	3.45	2.80
109	河口水域	87.55	85.05
110	三角洲/沙洲/沙岛	12.76	10.53
111	海岸性咸水湖	2.74	2.22
112	海岸性淡水湖	0.78	0.79
	合计	579.60	548.35

（2）各省份滨海湿地面积变化统计。各省份面积变化从大到小依次为福建、山东、江苏、辽宁、浙江、河北、广东、天津(图 5-4)。

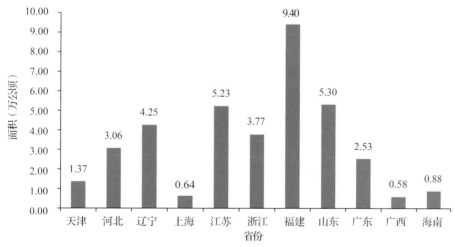

图 5-4 各省份滨海湿地面积变化情况

（3）中国滨海湿地空间转移分析。我国滨海湿地中，滩涂空间分布变化最大，空间形态较不稳定，以滩涂湿地与近海水域相互变化为主。人工填海的因素明显，主要占用湿地按面积从大到小依次为淤泥质海滩、浅海水域、沙石海滩、潮间盐水沼泽、河口水域；围海生产的因素较为明显，主要占用湿地从大到小依次为淤泥质海滩、浅海水域、潮间盐水沼泽、海岸性咸水湖。近海水域变化为浅海养殖区域，主要为福建沿海大规模浅海养殖区域(图 5-5)。

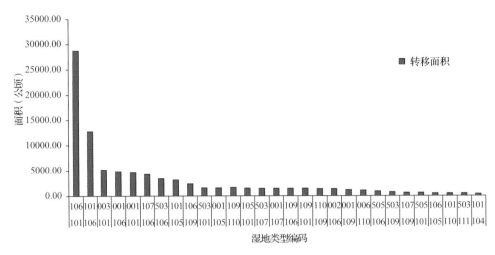

图 5-5　中国滨海湿地空间转移分析

注：湿地类型编码参见表 5-1。其中：001 指人工填海区，002 指人工围海区，

003 指浅海养殖区，503 指水产养殖场，505 指盐田。

综上所述，在我国滨海湿地中，从人工填海面积来看，江苏、山东、河北、浙江填海面积较大；从人工填海比例来看，河北、天津虽然填海面积相对较小，但占本省湿地面积总比例较高，填海活动显著。结合遥感影像目视解译，人工填海主要用途为工业开发、居住旅游、生产活动等。在人工围海方面，辽宁、江苏、山东、广东和浙江面积较大，同时这 4 个省的围海面积占比也较高。

第二节　省域滨海湿地生态系统服务价值评价

一、典型研究区域

选择辽宁省 6 个滨海湿地作为典型研究区，其分别位于辽宁沿海的丹东、大连、营口、盘锦、锦州和葫芦岛 6 个市。6 个典型研究区所包括的滨海湿地类型，除了都具有浅海水域之外，葫芦岛龙湾滨海湿地具有砂石海滩，锦州、盘锦和丹东 3 个案例点都具有淤泥质海滩。此外，盘锦滨海湿地案例点还具有河口水域、三角洲和潮间盐水沼泽，大连斑海豹湿地具有岩石性海岸。

6 个典型研究区的湿地型如图 5-6 所示。

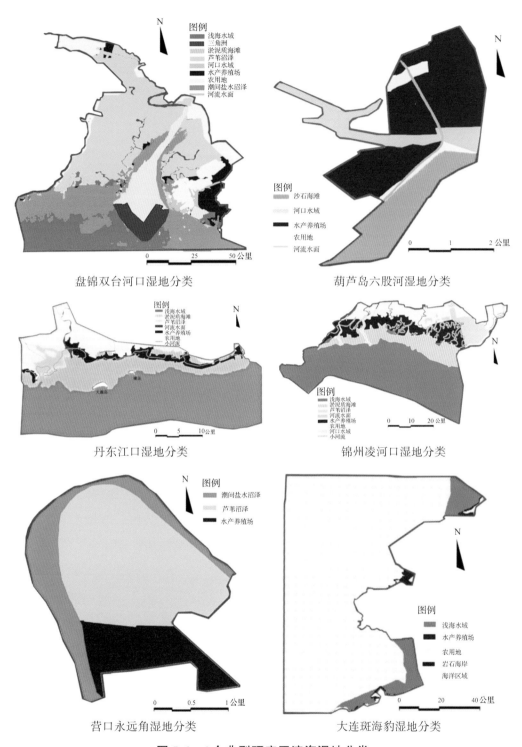

盘锦双台河口湿地分类

葫芦岛六股河湿地分类

丹东江口湿地分类

锦州凌河口湿地分类

营口永远角湿地分类

大连斑海豹湿地分类

图5-6　6个典型研究区滨海湿地分类

上述6个典型研究区所包括的不同滨海湿地型的面积如表5-2所示。其中丹东市鸭绿江口滨海湿地面积最大，为7.74万公顷，包括浅海水域5.12万公顷和淤泥质滩涂2.62万公顷。

表 5-2　典型滨海湿地的不同湿地型分布面积　　　　　　　　万公顷

序号	名称	湿地型							合计
		浅海水域	岩石海岸	沙石海滩	淤泥质海滩	潮间盐水沼泽	河口水域	三角洲	
01	六股河湿地		—	0.02	—	—	0.02	—	0.04
02	凌河口湿地	5.48	—	—	1.20	—	0.09	—	6.77
03	双台河口湿地	0.77	—	—	1.23	0.51	1.37	0.60	4.48
04	永远角湿地		—	—	—	0.01	—	—	0.01
05	斑海豹湿地	6.49	0.02						6.51
06	鸭绿江口湿地	5.12	—		2.62				7.74
	合计	17.86	0.02	0.02	5.05	0.52	1.48	0.60	25.55

二、评价指标体系和方法

参照千年生态系统评估（Millennium Ecosystem Assessment，MA）框架，以 9 项主导湿地生态系统服务为评估内容，评估指标体系包括物质生产、航运、调蓄洪水、气候调节、大气调节、固碳、促淤造陆、消浪护岸和科教旅游（科研教育和休闲旅游），参照并采用 Costanza（1997）对生态系统服务功能的评估方法进行价值换算，主要方法有核算物质生产、航运、大气调节和促淤造陆的市场价值法，核算调蓄洪水服务的影子工程法，核算气候调节的替代成本法，核算固碳价值的碳税法，核算消浪护岸服务的专家评估法，核算科研教育的模拟市场法和休闲旅游的费用区间法等。主要评估指标体系和方法见表 5-3。

典型滨海湿地生态系统价值评估数据主要分为三部分：第一部分为历年《辽宁统计年鉴》和地方湿地管理部门提供的数据，包括水产品供给量、水资源和旅游人数等湿地环境数据；第二部分为实地调研访谈，主要采用发放调查问卷和网络调查的方式，于 2015 年 4 月至 2016 年 9 月共回收调查问卷 2046 份，利用 T 检验方法对数据进行统计分析，确定 1936 份有效问卷；第三部分为监测数据，于 2015 年 8 月设置 28 个样地，进行土壤和植物生物量的取样并进行后续指标测定。将获取的数据进行服务价值评估，并全部换算到 2017 年基准年的价值。

表 5-3　辽宁省滨海湿地生态系统服务评估体系及方法

服务分类	评估指标	方法
供给服务	物质生产	市场价值法
	航运	市场价值法
调节服务	调蓄洪水	影子工程法
	气候调节	替代成本法
	大气调节	市场价值法
	固碳	碳税法
	促淤造陆	市场价值法
	消浪护岸	专家评估法
文化服务	科教旅游	模拟市场法 费用支出法

三、辽宁滨海湿地生态系统服务价值

本报告对 6 个典型研究区的滨海湿地生态系统服务价值进行评价，得出各个典型研究区单位面积的滨海湿地生态系统服务价值。然后，基于直接外推法的理论，以各个典型研究区滨海湿地单位面积的价值作为所在市滨海湿地生态系统服务价值的均值，再价值乘以各市滨海湿地面积，即可得出辽宁省 6 个沿海市的滨海湿地生态系统服务价值。将 6 个市滨海湿地价值相加，得出 2017 年辽宁省滨海湿地生态系统服务的总价值。

(一)典型滨海湿地研究区评估结果

6 个典型研究区的滨海湿地生态系统服务价值为 764.62 亿元。其中鸭绿江口湿地生态系统的服务价值最高，为 229.35 亿元，其次分别为凌河口湿地 224.97 亿元、斑海豹湿地 160.87 亿元、双台河口湿地 146.71 亿元、六股河湿地 2.09 亿元，以及永远角湿地 0.64 亿元(表 5-4)。

表 5-4　典型研究区滨海湿地生态系统服务价值　　　　　　　　亿元

生态系统服务	湿地生态系统服务价值						合计
	六股河	凌河口	双台河口	永远角	斑海豹	鸭绿江口	
物质生产	0.31	49.57	21.48	0.10	49.38	38.97	161.95
航运	—	—	—	—	—	6.81	6.81
调洪蓄水	0.55	26.92	25.73	0.07	21.88	31.97	107.12
固碳	0.52	55.15	31.33	0.16	32.58	53.98	173.73
气候调节	0.27	37.22	24.40	0.14	24.02	29.54	115.60
大气调节	0.21	29.16	18.28	0.09	15.54	23.37	86.65
促淤造陆	0.00	4.34	7.76	0.01	3.87	11.31	27.29
消浪护岸	0.18	16.50	13.60	0.01	5.79	24.67	60.73
科教旅游	0.04	6.12	4.12	0.06	7.83	6.57	24.74
合计	2.09	224.97	146.71	0.64	160.87	229.35	764.62

(二)辽宁省滨海湿地生态系统服务总价值

2017 年辽宁省滨海湿地生态系统服务总价值为 2526.35 亿元（表 5-5）。其中，大连滨海湿地生态系统服务价值最高，为 600.10 亿元，占全省滨海湿地生态系统服务价值的 23.75%；锦州滨海湿地生态系统服务价值最低，为 224.97 亿元，仅占全省滨海湿地生态系统服务价值的 8.90%；葫芦岛、营口、盘锦和丹东滨海湿地生态系统服务价值分别为 561.25 亿元、418.66 亿元、403.12 亿元和 318.24 亿元，所占比例分别为 22.22%、16.57%、15.96% 和 12.60%。

表 5-5　辽宁省沿海 6 市滨海湿地生态系统服务价值及比例

序号	城市	服务价值(亿元)	比例(%)
01	葫芦岛	561.25	22.22
02	锦州	224.97	8.90
03	盘锦	403.12	15.96
04	营口	418.66	16.57
05	大连	600.10	23.75
06	丹东	318.24	12.60
	合计	2526.35	100.00

辽宁省滨海湿地生态系统各项指标的服务价值见表 5-6。其中，固碳

和物质生产服务价值较高，分别为527.79亿元和513.94亿元，占总价值的20.89%和20.34%；其次为气候调节、调蓄洪水和大气调节价值，分别为398.95亿元、352.58亿元和306.29亿元，所占比例分别为15.79%、13.96%和12.12%；而促淤造陆和航运价值较低，分别为97.64亿元和6.81亿元，各占总价值的3.86%和0.27%。

表5-6　辽宁省滨海湿地生态系统服务价值

滨海湿地生态系统服务	价值(亿元)	比例(%)
食物生产	427.83	16.93
原材料生产	86.11	3.41
航运	6.81	0.27
调洪蓄水	352.58	13.96
固碳	527.79	20.89
气候调节	398.95	15.79
大气调节	306.29	12.12
促淤造陆	97.64	3.86
消浪护岸	190.95	7.56
科研教育	0.17	0.01
休闲旅游	131.22	5.19
合计	2526.35	100.00

沿海6市滨海湿地生态系统服务价值的大小与各市的滨海湿地面积呈现了一定的正相关关系(除了营口市出现了小反差)。营口市滨海湿地面积最小，而其生态系统服务价值占全省的16.57%，这可能是因为调研点营口市永远角湿地面积最小，使得其单位面积湿地生态系统服务价值最高。

目前采用数值直接外推法进行湿地生态系统服务价值评价，研究结果的差异可以归结为以下两个原因：①评估方法与参数的差异。生态系统服务价值评估多采用Costanza的评估体系和方法，但是随着技术的进步，有一些评估方法有相对改进。如Costanza在评估全球生态系统价值时，其旅游价值采用的是所有旅游人数的旅游费用，缺少针对某一具体生态系统的旅游人数，而本报告针对湿地这一具体生态系统，采用的费用区间法更为合理；同时随着经济的增长，评估参数也有所调整，如调蓄洪水中的水库成本，Costanza 的研究中采用的是 0.67 元/立方米，而目前水库成本早已不再是这个数值，本报告采用的是 7.02 元/立方米。所以选择评估方法与参数时，需要根据实际情况进行改进和调整。②经济等其他因素的差异。在评估不同省份湿地生态系统服务价值研究中，由于评估年份、地理位置的差异，以及当地经济水平和湿地保护管理政策体系的区别，都会造成评估结果的差异；另外，湿地面积和类型等也是造成价值估算差异的原因。这也是未来将重点研究的方向之一，将具体分析和比较不同湿地类型单位面积价值。

锦州和丹东单位面积滨海湿地生态系统服务价值较低，这主要是由于这两个地方湿地的利用水平还较低，为了实现辽东沿海湿地资源的均衡发展，须同其他湿地资源区进行错位发展，培育湿地资源吸引力。建议其相关部门管理者能够在保护湿地的前提下，适当开展可持续利用，使得湿地生态系统服务价值最大化。葫芦岛、营口等市单位面积滨海湿地生态系统服务价值较高，在湿地的保护和利用过程中，更应向保护湿地方向进行倾斜，防止滨海湿地的退化。

第三节　中国滨海湿地生态系统服务价值

一、评价指标体系和方法

湿地生态系统服务来自湿地生态系统的物质循环、能量流动和信息传递。湿地生态系统服务价值评估应挑选出能够为人类带来直接和间接利益的指标，并将其归纳为公众认可的生态系统服务。根据湿地生态系统的特点，综合考虑中国滨海湿地类型及其特征，参照千年生态系统评估（MA）框架，根据《湿地生态系统服务评估规范》（LY/T 2899—2017），本研究的中国滨海湿地生态系统服务价值评价选取了供给服务、调节服务和文化服务等 3 大类 15 小类指标，见表 5-7。

对于不同类别的生态系统服务，其服务量的多少均有其各自的计算或核算方法，并可通过每项生态系统服务功能量及其单位价格得到单项生态系统服务价值，通过算数求和得到评估对象的生态系统服务总价值。常用的生态系统服务价值评估方法有市场价值法、影子工程法、碳税价值法和旅行费用法等(表5-7)。

表 5-7 中国滨海湿地生态系统服务价值评估指标体系与方法

一级指标	二级指标	所用方法
供给服务	食物供给	市场价值法
	原材料供给	市场价值法
	航运	市场价值法
	淡水供给	市场价值法
	电力供给	市场价值法
调节服务	调蓄洪水	市场价值法
	固碳	碳税价值法
	水质净化	市场价值法
	气候调节	影子工程法
	涵养水源	替代成本法
	大气调节	替代成本法
	促淤造陆	市场价值法
	消浪护岸	专家评估法
文化服务	休闲旅游	旅行费用法、模拟市场法
	科研教育	生态价值法

二、数据来源

本次评价中涉及的湿地类型和面积等基本数据来自本章第一节中国滨海湿地空间分布研究结果。滨海湿地生态系统服务评估指标中的调蓄洪水、气候调节、水质净化、固碳、休闲旅游和科研教育等的相关参数来自文献数据。评估指标的计算单价来自当年官方发布的价格信息和权威文献。

三、中国滨海湿地生态系统服务价值

以 2017 年为基准年,基于滨海湿地生态系统服务价值评价指标和评价方法体系,对中国滨海湿地生态系统服务价值进行了评价。中国滨海湿地生态系统服务总价值为 19284.22 亿元/年,其中,江苏滨海湿地生态系统服务价值最高,占全国滨海湿地生态系统服务价值的比例为 18.82%,随后为广东、山东、辽宁和浙江,上述 5 省滨海湿地生态系统服务价值总和占到全国滨海湿地生态系统服务价值的 70.41%(图 5-7 和 5-8)。

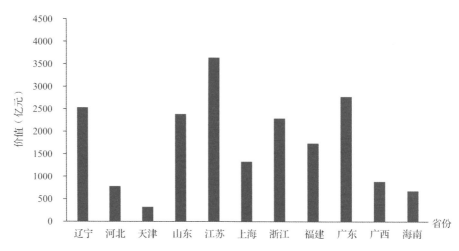

图 5-7　中国各省份滨海湿地生态系统服务价值

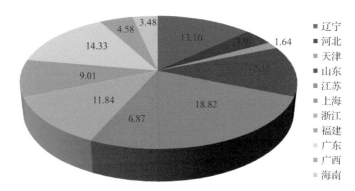

图 5-8　中国各省份滨海湿地生态系统服务价值所占比例(％)

　　对滨海湿地生态系统不同类型的服务价值进行分析，滨海湿地生态系统三大服务价值及其所占比例见图 5-9。其中，调节服务价值所占比例最高，为 56.27％，其次分别为供给服务价值 34.62％ 和文化服务价值 9.11％。

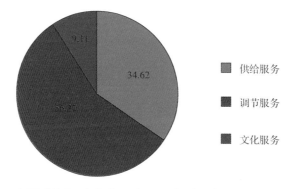

图 5-9　中国滨海湿地生态系统不同类型服务价值所占比例(％)

　　调节服务中，调蓄洪水功能的价值最高，为 2428.44 亿元/年，其次为气候调节、固碳和消浪护岸功能(图 5-10)。供给服务中，食物供给功能价值最高，为 4725.45 亿元/年，其次为航运和淡水供给功能。文化服务中，休闲旅游价值为 1352.56 亿元/年，大于科研教育价值 404.74 亿元/年。

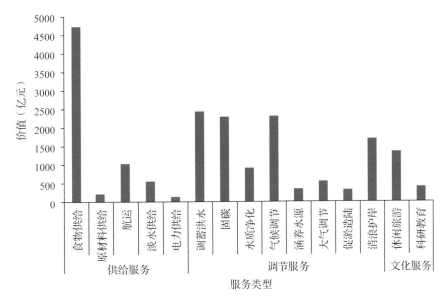

图 5-10　中国滨海湿地生态系统不同类型服务的价值

　　我国滨海湿地生态系统服务价值巨大。未来保持滨海湿地生态系统服务价值、发掘新的服务价值增长点至关重要。在滨海湿地资源合理保护和利用的过程中，在权衡各项生态系统服务的基础上，需要保护好现有的滨海湿地资源，确保湿地生态系统服务价值不降低；同时需要开展湿地资源的合理利用，提高湿地生态系统服务的附加值，最终实现提高滨海湿地生态系统服务价值的目的。

参考文献

崔丽娟，2001．湿地价值评价研究［M］．北京：科学出版社．

崔丽娟，2019-10-29．黄河流域高质量发展亟待加强湿地管护［N］．中国自然资源报（003）．

崔丽娟，庞丙亮，李伟，等，2015．扎龙湿地生态系统服务价值评价［J］．生态学报，36（3）：1-10．

崔丽娟，张曼胤，李伟，等，2009．国家湿地公园管理评估研究［J］．北京林业大学学报，31（05）：102-107．

崔丽娟，张曼胤，王义飞，2006．湿地功能研究进展［J］．世界林业研究，19（3）：18-21．

崔丽娟，张曼胤，赵欣胜，等，2011．湿地恢复监测与管理方法探讨［J］．世界林业研究，24（03）：1-5．

崔丽娟，张明祥，2002．湿地评价研究概述［J］．世界林业研究，15（6）：46-53．

崔丽娟，张骁栋，张曼胤，2017．中国湿地保护与管理的任务与展望：对《湿地保护修复制度方案》的解读［J］．环境保护，45（04）：13-17．

国家林业局，2008．国家湿地公园建设规范：LY/T 1755—2008［S］．北京：中国标准出版社．

国家林业局，2013．湿地生态系统定位观测指标体系：LY/T 2090—2013［S］．北京：中国标准出版社．

国家林业局，2015．中国湿地资源系列图书［M］．北京：中国林业出版社．

郭子良，张曼胤，崔丽娟，等，2019．中国国家级水产种质资源保护区建设及发展趋势分析［J］．水生态学杂志，40（5）：112-118．

郭子良，张曼胤，崔丽娟，等，2018．中国国家城市湿地公园建设现状及其发展趋势分析［J］．湿地科学与管理，14（1）：43-47．

郭子良，张曼胤，崔丽娟，等，2018．中国湿地分级体系建设现状与探讨［J］．湿地科学，16（3）：322-327．

郭子良，张曼胤，崔丽娟，等，2019．中国国家湿地公园的建设布局及其动态［J］．生态学杂志，38（2）：532-540．

全国绿化委员会办公室，2020．2019年中国国土绿化状况公报［R/OL］．http://www.forestry.gov.cn/main/63/20200312/101503103980 23.html．

谢高地，张彩霞，张昌顺，等，2015．中国生态系统服务的价值［J］．资源科学，

37(9)：1740-1746.

张琴，周德民，刘苗，2015. 中国内陆湿地生态系统服务价值评估：以 71 个湿地案例点为数据源[J]. 生态学报，35(13)：4279.

张玲，李小娟，周德民，等，2015. 基于 Meta 分析中的中国湖沼湿地生态系统服务价值转移研究[J]. 生态学报，35(16)：5507-5517.

Costanza R，d'Arge R，de Groot R，et al，1997. The value of the world's ecosystem services and natural capital[J]. Nature，387：253-260.

Gao Y，Cui L，Liu J，et al，2020. China's coastal-wetland chang analysis based on high-resolution remote sensing[J]. Marine and Freshwater Research，11(9)：1161-1181.

Guo Z L，Liu W W，Zhang M Y，et al，2020. Transforming the wetland conservation system in China[J]. Marine and Freshwater Research，71(11)：1469-1477.

Liu W W，Guo Z L，Jiang B，et al，2020. Improving wetland ecosystem health in China[J]. Ecological Indicators，113：106184.

Sun B，Cui L，Li W，et al，2018. A meta-analysis of coastal wetland ecosystem services in Liaoning Province，China[J]. Estuarine，Coastal and Shelf Science，200：349-358.

Sun B，Cui L，Li W，et al，2018. A Space-Scale Estimation Method Based Continuous Wavelet Transform for Coastal Wetlands in Liaoning Province，China[J]. Ocean and Coastal Management，157：138-146.

Sun B，Lei Y，Cui L，et al，2018. Addressing the Modelling Precision in Evaluating the Ecosystem Services of Coastal Wetlands[J]. Sustainability 10(4)，1136.

附　录

湿地生态系统国家定位观测研究站名录

序号	生态站名称	技术依托单位	建设单位
1	河北北戴河滨海湿地生态系统国家定位观测研究站	中国林业科学研究院湿地研究所	河北北戴河国家湿地公园管理处
2	内蒙古包头黄河湿地生态系统国家定位观测研究站	内蒙古自治区林业科学研究院	包头市生态湿地保护管理中心
3	内蒙古额尔古纳湿地生态系统国家定位观测研究站	中国科学院沈阳应用生态研究所	内蒙古额尔古纳湿地自然保护管理局
4	内蒙古呼伦湖湿地生态系统国家定位观测研究站	中国科学院南京地理与湖泊研究所	内蒙古呼伦湖国家级自然保护区管理局
5	内蒙古乌梁素海湿地生态系统国家定位观测研究站	内蒙古农业大学	内蒙古巴彦淖尔市乌梁素海自然保护区管理局
6	辽宁双台河口湿地生态系统国家定位观测研究站	沈阳农业大学	辽宁双台河口国家级自然保护区管理局
7	吉林查干湖湿地生态系统国家定位观测研究站	白城市林业科学研究院	白城市林业科学研究院
8	吉林莫莫格湿地生态系统国家定位观测研究站	吉林省林业科学研究院	吉林省林业科学研究院
9	黑龙江扎龙湿地生态系统国家定位观测研究站	黑龙江省森林与环境科学研究院	黑龙江省森林与环境科学研究院
10	上海崇明东滩湿地生态系统国家定位观测研究站	复旦大学	上海市崇明东滩鸟类国家级自然保护区管理处
11	江苏洪泽湖湿地生态系统国家定位观测研究站	南京林业大学	洪泽湖东部湿地省级自然保护区管理处
12	江苏太湖湿地生态系统国家定位观测研究站	南京林业大学	苏州市湿地保护管理站
13	江苏盐城滨海湿地生态系统国家定位观测研究站	江苏省林业科学研究院	江苏省林业科学研究院
14	浙江西溪湿地生态系统国家定位观测研究站	中国林业科学研究院亚热带林业研究所	杭州西溪湿地公园管理委员会办公室
15	福建闽江河口湿地生态系统国家定位观测研究站	福建师范大学	福建省长乐市闽江河口湿地自然保护区管理处

序号	生态站名称	技术依托单位	建设单位
16	福建泉州湾湿地生态系统国家定位观测研究站	福建省林业科学研究院	福建省林业科学研究院
17	江西鄱阳湖湿地生态系统国家定位观测研究站	江西鄱阳湖国家级自然保护区管理局	江西鄱阳湖国家级自然保护区管理局
18	山东微山湖湿地生态系统国家定位观测研究站	曲阜师范大学	济宁市林业科学研究所
19	湖北洪湖湿地生态系统国家定位观测研究站	湖北省林业科学研究院	湖北省林业科学研究院
20	湖南洞庭湖湿地生态系统国家定位观测研究站	湖南省林业科学院	湖南省林业科学院
21	广东海丰湿地生态系统国家定位观测研究站	广东省林业科学研究院	广东省林业科学研究院
22	广西北海湿地生态系统国家定位观测研究站	中国林业科学研究院热带林业研究所、广西红树林研究中心	国营北海防护林场
23	重庆三峡湿地生态系统国家定位观测研究站	重庆市林业科学研究院	重庆市林业科学研究院
24	贵州草海湿地生态系统国家定位观测研究站	贵州省林业科学研究院	贵州省林业科学研究院
25	甘肃敦煌西湖湿地生态系统国家定位观测研究站	甘肃省林业科学研究院	甘肃省林业科学研究院
26	甘肃黑河湿地生态系统国家定位观测研究站	张掖黑河湿地国家级自然保护区管理局	张掖黑河湿地国家级自然保护区管理局
27	青海湖湿地生态系统国家定位观测研究站	青海师范大学	青海湖国家级自然保护区管理局
28	宁夏黄河湿地生态系统国家定位观测研究站	宁夏大学	银川市湿地保护中心
29	新疆博斯腾湖湿地生态系统国家定位观测研究站	新疆林业科学院	新疆林业科学院
30	内蒙古大兴安岭汗马湿地生态系统国家定位观测研究站	内蒙古大兴安岭林业科学技术研究所	内蒙古大兴安岭汗马国家级自然保护区管理局
31	北京汉石桥湿地生态系统国家定位观测研究站	中国林业科学研究院林业新技术研究所	中国林业科学研究院林业新技术研究所
32	广东湛江红树林湿地生态系统国家定位观测研究站	中国林业科学研究院林业新技术研究所	中国林业科学研究院林业新技术研究所

（续）

序号	生态站名称	技术依托单位	建设单位
33	海南东寨港红树林湿地生态系统国家定位观测研究站	中国林业科学研究院热带林业研究所	中国林业科学研究院热带林业研究所
34	河北衡水湖湿地生态系统国家定位观测研究站	中国林业科学研究院林业新技术研究所	中国林业科学研究院林业新技术研究所
35	青海三江源湿地生态系统国家定位观测研究站	中国林业科学研究院林业研究所	青海三江源湿地国家级自然保护区管理局
36	四川若尔盖高寒湿地生态系统国家定位观测研究站	中国林业科学研究院林业新技术研究所	中国林业科学研究院林业新技术研究所
37	浙江杭州湾湿地生态系统国家定位观测研究站	中国林业科学研究院亚热带林业研究所	中国林业科学研究院亚热带林业研究所
38	黑龙江三江平原湿地生态系统国家定位观测研究站	东北林业大学	黑龙江三江国家级自然保护区管理局
39	云南滇池湿地生态系统国家定位观测研究站	西南林业大学	昆明市林业科学研究所
40	山西长子精卫湖湿地生态系统定位观测研究站	山西省林业科学研究院	长子精卫湖国家湿地公园管理中心